遺品整理士が教える

遺す技術と片付けの極意

家族の負担を減らす生前整理のすすめ

木村榮治 著

はじめに

私たちは、生きていく上であらゆる人間関係のもとに人生が構築されていきます。その中で、切っても切れないのが親子の縁、兄弟の絆です。いつかはくる別れの時に、あなた自身も子供や親族に遺品整理を託さなければならないという状況になるでしょう。その前にまず、親、兄弟の遺品整理をする方が先かもしれません。

そんな時、いったいどのような気持ちで、どのように対処していけばいいのでしょうか。そこにはさまざまな難しい現実問題が発生していきます。

人間一人がくらしていた生活のすべてを整理するということはとても大変なことです。決して頑張りすぎないこと。プロのコツを知り、そして実際に整理業者を上手に活用することで、「いい準備、いい生前整理ができた」といえるような方法を選んで頂きたいと思います。

この本がお役に立ちますことを願っております。

一般社団法人遺品整理認定協会理事長
木村　榮治

目次

※本書は2016年発行の『遺品整理士が教える「遺す技術」豊かに生きるための“備えと片づけ”』を元に加筆修正・再編集をし、書名・装丁を変更して再発行したものです。

第3章 生前整理を進めるには何をすれば？

序章

今できる「遺す技術・片づけ」

いま、なぜ「遺す技術」なのか？

「自由に処分して貰ってかまわない」。本人はそう思っていても、家族を亡くした喪失感から手がつけられず負担になることも。遺される家族の事を考え、何ができるのかをお伝えしたいと思います。

現代ほど「遺品整理」という事に注目が集まっている時代はないでしょう。高齢化社会になった今、他界することだけではなく、施設入所、住替えなど、さまざまな理由で家を片づけなくてはいけない場合が増えてきています。更にはライフスタイルの多様化により核家族化も進み、片づけは親族だけで対応するのも難しくなってきているといえます。

「2030年には人口の1/3が高齢者に」ともいわれ超高齢化社会が危惧されています。さらには高齢者の2人に1人は、孤立死をする可能性があるという統計も出ており、今後も核家族化、未婚率増加、超高齢化社会、そして孤立死といった問題は加速していき遺品整理の需要はますます増加するといわれています。

このような背景からプロの遺品整理の関心ニーズが高まっていますが、大切な思い出を詰まった品を他人に依頼して処分することへの抵抗が大きいのも現実です。処分を子世代にまかせるのではなく、プロの手を借りることも含め「上手に遺すため」「自身で片づけるため」のノウハウとして「遺す技術」が求められています。

「遺す技術」とは

遺す技術において大事なことは、遺される側がどのように遺品整理を進めるのかをしっかりと把握したうえで、自分たちはどうしたいのかを決めること。「いざ遺されたらどうなるか」を考えながら準備を行います。

■誰にでもやってくることである

多くの場合は、子ども世代が親御さんを見送り、その後遺品整理を進めることになると思います。今、自身に健康上の不安がなくてもいつかは起きることと心づもりをしておき、遺す側は遺言書やエンディングノートを記入し、遺される家族にはそれに沿ってもらうことが望ましいでしょう。また遺品整理と同じく生前整理もプロに依頼することを検討するのも一つの方法です。

■どのように進めていくべきか考える

生前整理をするうえで、思いつきや周囲への相談なしでひとりで進めてはいけません。スケジュールを書き出す、貴重品や不動産などをどうするかなどを、関係者と共に決めて進めていかなければなりません。その他にも色々とクリアにしていかなければならない事もありますので、本書で確認を進めていきましょう。

■業者に依頼することも選択肢にいれる

遺品整理と同じく、生前整理も身内だけで行ないたいと思われる方も多いと思います。できることなら家族や親族でされる方がいいとは思います。ですが家が遠方にある、物が多い、時間的に余裕がない等の場合は、プロに依頼する事も検討しましょう(コツ27参照)。また、遺す予定の品の中で、売却などができるものは買い取ってもらいましょう。お金に換算するなんて…と思われるかもしれませんが、今は処分をするのにも費用がかかる時代ですし、家族の遺品整理の負担を軽減することにもつながります。

突然の遺品整理は苦労も多い

なかにはすでに経験された方もいるかもしれませんが、身内が亡くなった際の「遺品整理」は想像以上に大変です。遺される家族のための生前整理を、改めて考えてみましょう。

いざ「遺品整理」が始まると「相続」という問題も発生してきます。住んでいた家が持ち家の場合は相続の対象になり、相続の意思を表明して手続きが必要になってきますので、家族はゆっくりと遺品整理もしていられません。

親族が多い場合は、厄介なこともでてきます。エンディングノートがあっても法的拘束力はありませんので、その遺志を遂行できるかは内容次第といえるでしょう。遺言書に相続のことが記されているならよいのですが、一般的に遺言書を遺す方は多いとはいえません。そのため、家を片づけるとなると、さまざまな意見や利害が発生して調整するのも大変な上、処分の判断も難しくなり、思い出の品や形見分けもスムーズにできなくなります。兄弟姉妹が、親の他界・遺品整理で仲違いすることもあり、身内同士で揉めて裁判や調停に発展することもないとはいえません。利害関係で揉めてしまうような気がかりをのこさないように、相続も含めた「生前整理」が見直されています。

遺品整理の経験談を知ることは生前整理の心構えになる

人生の中で親御さんや身内の遺品整理をする機会は多くはありません。経験者の声を知ることは、家族に遺品整理で大変な思いをさせないために役立つでしょう。

■例1 こんなところにも貴重品が！

祖母の遺品を整理しているとき、家族で手分けして現金や貴重品などを見つけ出しながら、不用品を処分しました。物置にも衣装ケースがたくさんあり、貴重品等はすでに確保したし衣装ケースの中はタオルや古びた着物でしたので、順にトラックに積み込み、処分場まで運んでくれる業者に依頼しました。ところが、残りわずかになったとき、衣装ケースの一つの底が抜けて中身が散乱。すると、古びた着物の間から指輪やネックレスなど高級そうなものが出てきた

のです。すぐさま運搬トラックの業者に連絡して、荷物を戻してもらい、一部は失わずに済みました。安易な判断から大事な形見を捨ててしまい、後悔が残りました。

❗貴重品の所在は明確にしておきたいですね。

■例2　死後、父の借金が発覚!

田舎の父の遺品整理を親族から迫られていましたが、遠方だったので半年ほど放置していました。それから田舎の実家に行ってみると、親あてに金融機関から督促状が届いていました。どうやら借金があったようです。すでに相続放棄できる期間は過ぎており、少額であったことから、代わりに返済しましたが、もっとはやくに遺品整理をしていればよかったと悔やまれてなりません。

❗「相続放棄」という手段もあることを知っておきましょう（P35参照）。

☆他にもコラムでエピソードを紹介します。遺品整理の現場から遺す側が知っておきたいポイントがみえてきます。

エピソード①【Yさん 50代男性】

「生前、父は私に〝お前には財産を残してあるから〟と言っていました。具体的に何をどのように残していると教えられていたわけでもなく、父も元気でしたから、どこか縁起でもないと思い、〝なに言ってんだよ〟とさらりとかわし、特に詳しく自分から聞くこともありませんでした。しかし、突然父が亡くなってしまい、家の片づけをし始めた時、あの〝お前には財産を残してあるから〟の父の言葉が蘇り、心のどこかで、〝オヤジ、あれほど何回も言っていたのだから、きっとどこかに何かを残してくれているはず〟という気持ちで、部屋のあちらこちらを順々に探し回りました。でも結局見つけることはできませんでした。その後、私も遠方から来ていて仕事もそれほど長く休めなかったので、手早く済ませようと、不用品を片っ端から片づけていきましたが、あの時、もし遺品整理業者に片づけを依頼しておけば、オヤジが残してくれた何かを見つけてくれたのかもしれない、とふと思ったりしました。また、**父が私に財産を残していると言った時に、きちんと聞いておくべきだったと今更ながら後悔**しています。父が**住んでいた家からは結局何も出てきませんでしたが**、今でもどこかに〝父はそんないい加減なことを言う人ではないので、やっぱりどこかに何かを残してくれているのではないだろうか〟と思い続けています。親がある程度の年齢になったら、聞きたくはなくても、親の意向をきちんと聞いておくべきなのだということを思い知らされました。」

エピソード② 【Tさん 70代女性】

市内に小さいですが土地と家がありました。父は早くに他界して、母がひとり住んでいましたが、病気のために入院。10年ほど入院して他界しました。その間、家は空き家でしたので劣化が激しく、取り壊すことにしました。遺品整理は時間をかけて兄妹で進め、知り合いの解体業者に依頼して家を取り壊し。ここまでは順調でしたが、**遺言書などはありませんでしたので土地の分配・相続については大変もめることに**なりました。これまで大変仲のよかった兄妹でしたが、話し合いが上手くいかず、簡易裁判にまで発展。亡くなった両親が天国で争う兄妹を見ているかと思うと胸が痛みます。そして遺言書の大切さを実感。残すような財産はありませんが、70才を迎えたのを機にエンディングノートをつくりました。せめて我が子たちには同じような争いをしないでほしいものです。

エピソード③ 【Kさん 40代男性】

生前、母がわたしの妻へと宝飾品を残してくれました。特に高価なものではないと思いますが、思い出が詰まった大切なものです。自分たちのできる範囲で片づけをしてから、大型家具やゴミの処分などを業者に依頼しました。そのとき「形見の品が見つからないので探してほしい」とお願いしましたが、それでも見つかりません。もしかしたら痴ほう気味だった母が処分したのかもしれませんし、自分たちで間違って捨ててしまったのかもしれません。業者が着服しているとは思いたくありませんが、**母の形見がどこに行ってしまったのか考えると遺品整理が終わってからモヤモヤ**がはれません。

コラム

遺品整理士協会をつくったワケ

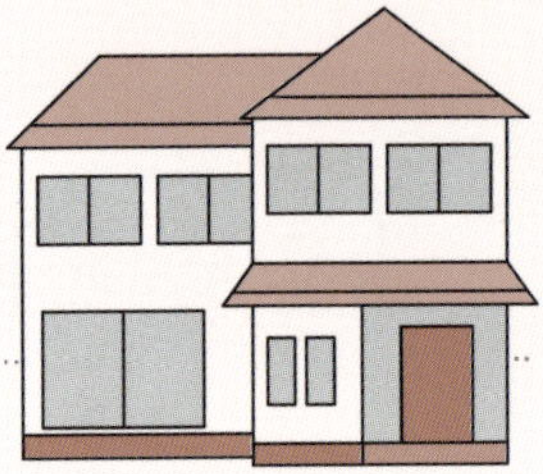

かつて自身で遺品整理をしたことがあります。10年ほど前に父が他界して、母や親族と父の遺品を整理しました。特別ものが多いわけではないのに全くはかどらず、地元の便利屋に遺品整理を依頼しスタッフ3人がかりでどんどん作業を進めていくのですが、「これ要りますか?」の機械的な問答が繰り返されることに耐えられなくなりました。その後、1年ぐらいかけて家族で父の遺品を整理しました。

遺品整理において不要品は処分すべきなのですが、自分の経験から大切な人の思い出が詰まったものを単純に要る、要らないと仕分けることは大変難しいと実感し、自分と同じように遺品整理で心を痛めたり、忙しい生活の中でなかなか遺品を片づけられない人もいるのではないかの思いと、そして遺品整理をする業者にも誠実に仕事をしている人もいるのに、一部の心ない業者のせいで肩身の狭い思いをしていることに気づき、遺品整理業者の健全化を目指し、2011年9月に一般社団法人「遺品整理士認定協会」を設立致しました。

第1章

身近な人が亡くなったとき
何が起きるか、どうすれば良いか

遺される側から check!

家族がやること

その1

遺される側から見た「実家の片づけ」

親が高齢になり施設への入所が決まった時や住み替えなど、ライフステージが変わる度に必要になるのが家の整理です。また不幸にも親が亡くなった時は、親を見送り遺された親族は遺品整理をする必要があります。

自分の家の片づけとは労力が全く違う

親の遺品整理をする際、主な行程として「親が遺した大切な物、重要な物を探して保管」「必要・不要な物の仕分け」「その仕分けを部屋ごとに順を追って行う」「不要物・ゴミの処分」という作業が必要になります。このように、**片づけといっても自分の家の大掃除をするのとは訳が違い、かなりの時間と労力を使います**。実際、片づけの際にはゴミとして処分するものが膨大に出てきて、今度はその処分方法にも頭を悩ませることになります。

また遺品整理は、その人の生きてきた証と向き合い、思いを馳せながら気持ちの整理をしていくものです。責任感の強い方などは「中々親族の日程が合わないから…」と、一人で頑張ってしまう人もいます。そうこうしている内に疲れがピークになり、親の遺品整理をストレスと感じてしまう可能性があります。

Yさん 40代女性のエピソード

「親の遺品整理をした時、私と妹が子どもの頃のいろいろなものが出てきました。写真や通信簿、お母さんに書いた手紙、それに赤ちゃんの時のオモチャまで。私たち姉妹はもう40も超えているのに。こんなに長い間捨てられないでいたなんて、親の深い愛情に涙が出ました」

どうしても抱え込んでしまいがち

責任感の強い方でなくとも整理していくうちにいろいろと抱えこむはずです。そうなると辛い場面も出てくるでしょう。「業者に頼んでいいからね」のひと言があると、気負わずに思い出に向き合う時間にできるかもしれません。

プロからのアドバイス！

遺品整理は供養にもなる

日々の仕事や家事に追われていると片づけの時間や費用立てをするのも大変です。思い出が詰まった家であれば、なおさら始動に時間が掛かることも。しかし遺された人が決断して動かなければ家は片づきません。まずはゴールを設定し、故人への供養として早めに行動を開始することが大事です。

家族がやること

その2

「遺品整理」の第一歩は、「やること」を把握すること

身内が何も整理せずに他界してしまったら、遺された誰かが片づけを担うことになります。片づけの当事者となってとりくむのは「やることリスト」の作成です。

片づけ準備としてやることを書き出す

家族が長く暮らしていた実家には、たくさんのものと思い出の品があふれています。団塊世代以前の親というのは、とにかくものを捨てられず、使わないタオルや包装紙などたくさんあるものです。さらに、日常使う消耗品も多くストックしていることが多々あります。

親御さんに限らず身内が他界したのであれば遺品整理をすることになりますが、家一軒分の荷物を片づけるというのは、なかなかの大仕事。家は売却するのか、維持するかで片づけの方針も変わってきます。家財道具の処分方法を検討したり、片づける際の人手と時間、そして費用をいかに捻出するかなどを考えなくてはいけません。そのためにも、「やることを書き出す」ことから始めます。案外やることがたくさんあって驚くことが多いので、頃合いを見計らって着手するようおすすめしています。やることリストを参考に、いつまでに終えるのか、大まかなスケジュールと必要な人員を割り出してみましょう。

「やることリスト」を参考に順序を考える

まずは思いつくままに「やることリスト」に書き出します。また、それを書き込む片づけノートのようなものを用意して、必要な情報をひとまとめにすると作業がはかどります。

相続の協議	大まかな費用の算出（処理費用／交通費）
実家の状態チェック	関係者の意向確認、人員確保、役割分担
預貯金口座の名義変え	片づけ業者、解体業者の調査、見積もり依頼
登記変更の手続き	片づけの日程調整

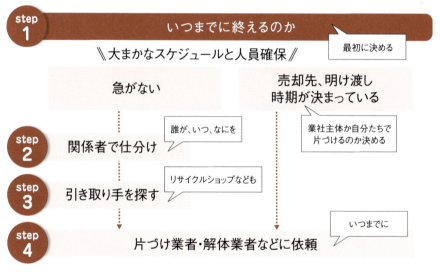

step 1 いつまでに終えるのか

最初に決める

＼大まかなスケジュールと人員確保／

急がない

売却先、明け渡し時期が決まっている

業社主体か自分たちで片づけるのか決める

step 2 関係者で仕分け

誰が、いつ、なにを

step 3 引き取り手を探す

リサイクルショップなども

step 4 片づけ業者・解体業者などに依頼

いつまでに

プロからのアドバイス！

片づけは突然はじまることもある

突然の病気や事故で家族・親族等が他界することがないとはいえません。日々の暮らしの中で、貴重品の保管場所や家の処分方法の確認などを話し合ったり、メモを残すようにしておくと、いざというとき役立ちます。

家族がやること

その3

いつ、誰がやるのかスケジュールを立てる

家の片づけは想像以上の大仕事なので、ゴールや役割分担、費用をどう捻出するかが決まらないと後回しになり長期化しがちです。急がない場合でも、いつ、誰が何をやるのかスケジュールを立てます。

片づけ終わるゴールを決める

急いで片づけしなくてもいい場合でも、いつまでに終わらせるかゴールを決めないとスタートできません。片づけは想像以上の大仕事なので、やろうやろうと思っているだけでは、いたずらに時間が経ってしまうばかりです。「いつまでに片づける」というゴールを決めてスタート時期を設定します。

その2で書き出した「やることリスト」を参照しながら、作業期間、人数などを書き出し、親類に片づけを手伝ってもらえるか、業者に依頼した方がいいかなどもあわせ検討します。また、相続や形見分けといったことも出てきますので、片づけ着手前に関係者に声をかけておかないと、後々トラブルに発展することもあります。

片づけは、労力と時間のほかに費用がかかります。それらをどう捻出するかも家族で相談して決めていきます。

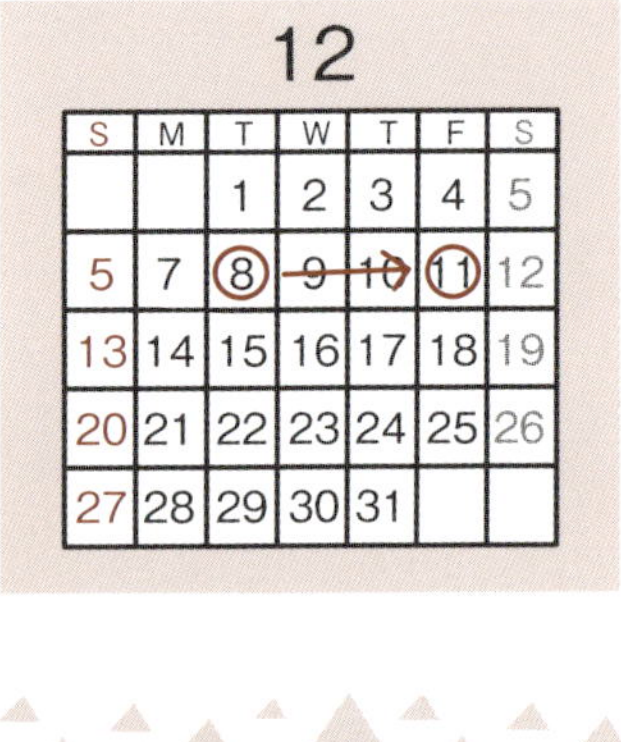

遺された家の片づけ

片づけを机上の空論にしないためにも、具体的な作業を書き出して、大まかなスケジュールを立てます。実家が遠方にある、仕事が忙しくて時間が割けない等の問題点も見えてきます。

実家の片づけ　方針

（実家をどうするのか方針を決める）

●相続協議

○月□日（△）　場所：実家 13:00~

●実家は整理して売却予定 → 売却金額を兄弟で分ける

売却価格：

相場は〇〇〇万円

（情報、見積もりを集めて検討）

不動産屋は地元の〇□不動産　担当：〇〇〇

TEL：000-000-0000

※上物は解体して更地にする必要がある

●実家の荷物は兄弟で必要なものをもらって、後は処分

解体は地元の〇〇〇に依頼

TEL：000-000-0000

撤去費用見積もり

（日程は具体的に書き込む）

●下見日程

〇月□日（△）四十九日で集まれる？

●片付け終了予定

（いつまでに終えるかこれが重要！）

〇〇年〇月末まで

誰が手伝える → 買い手が見つかったら急がないと

※ほとんど弟、妹は手伝えない

費用分担などはあらかじめ話し合っておく

プロからのアドバイス！

作業の“見える化”をする

「やることリスト」をもとに片づけのスケジュールを書き出すと、作業内容などがより具体的にイメージできるので、片づけることへの意識を高めることになり、人員確保や手配なども考えやすくなります。これは生前整理にも有効です。

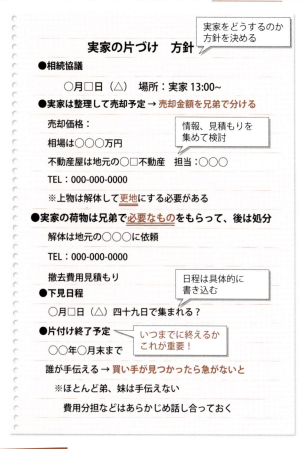

家族がやること

その4

片づける前に、下見して家や部屋の状況を関係者で共有

片づける家には何があるのか状況を把握するために、まずは関係者で下見をして現状を関係者で共有するのが理想です。そのとき、残すもの、処分するものなどの目星を付けておくようにします。

関係者全員で下見してトラブル回避

家(実家)には兄弟や親戚などの思い出が、もの以上に詰まっています。関係者が多いほど片づけは複雑になりますので作業開始前に、なるべく関係者全員で下見をします。下見に参加できない人がいるなら、家の中の状態を写真に撮るなどして、片づけにはどのくらいの時間と労力、費用がかかるかを互いに認識することが大切です。

関係者が多い場合、意見や見解の相違が出てくるので、それらの調整や、決定する人が必要になります。関係者の中には下見や片づけにも参加できないという人が出てくるでしょう。作業はできなくても費用や、業者を探してもらうなど役割を担ってもらうと連帯感が生まれます。非協力的な人がいるときは、後から文句を言わないなどの言質を取る、もしくは委任状を書いてもらうと揉め事を回避する手立てとなります。

兄弟姉妹、親戚といえども、みんなが集まるのは難しい

家財道具、登記書や貴金属といった貴重品などを含めて家の状況を書き出します。また、現状の様子がわかるように写真を撮っておくと役立ちます。

みんなが集まるお葬式や法要の時期に合わせて
実家の下見を提案する

参加できる日程を話し合って決める

- 参加できない → 参加できる日程を聞き取る
  - 参加できない → **報告はするか、委任をしてもらう**
  - 別の日なら参加できる → **参加できる人で下見、引き取れるものを確認**
- 参加できる → **参加できる人で下見、引き取れるものを確認**（全員一緒が難しければ2、3回に分けて下見を）

プロからのアドバイス！

下見を提案するタイミング

遺品整理をする場合、四十九日法要など親戚一同が集まる場で日程を提案するといいでしょう。ただし親族の高齢化や状況の変化で集まれない場合は、写真・動画などの共有で工夫しましょう。

家族がやること

その5

下見の機会に、残すものと処分するものを仕分け

家の片づけ前に下見をしたら、家財道具などを「引き取ってでも残したいもの」と「処分するもの」に仕分けします。すぐに決められない場合は「保留」として、一段落してから判断することになります。

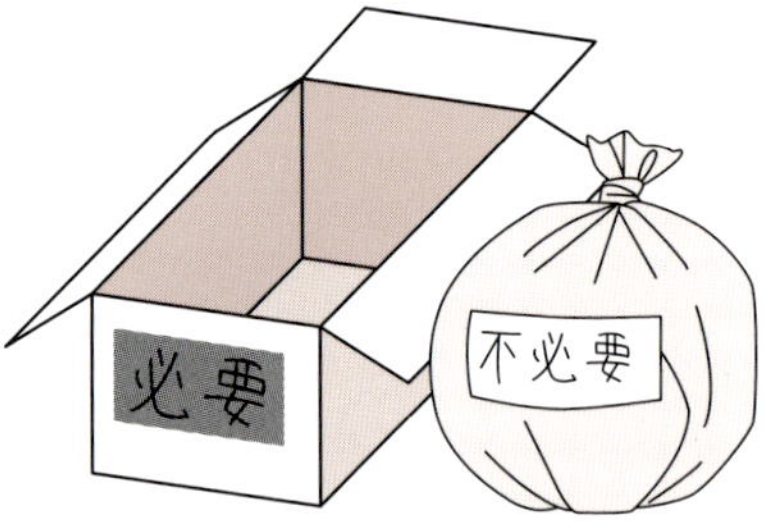

引き取って使いたいものだけを残す

片づけをはじめる前に、「引き取ってでも残したいもの」と「処分するもの」に仕分けしておくと作業がスムーズになります。基本的に家の片づけは、大部分のものを処分することになります。あったら便利なものは、なくても不便しませんので捨てるものとし、家電製品や家具などまだ使えるものはリユース（再利用）したり、リサイクル業者に買い取ってもらうことになります。

残すものは本当に「必要なもの」や思い入れがあるものとし、下見をしたときに関係者に確認しながら仕分けしていきます。最近は100円ショップでラベルシール等が販売されていますので、不要なものにはラベルシールを貼っておくとわかりやすいです。

残すものは、引き取ってでも残したいものに限定するのがコツといえます。ただし、ご自宅に収納できる、もしくは使用できるか確認してから決めないと、結局ゴミになってしまいますので注意が必要です。

片づけに重要なのは

仕分け作業は迷いだすと切りがありませんので、一度「不要なもの」と決めたら掘り返さずに片づけを進めていきます。

引き取ってでも残したいもの

●高級なもの
高級時計
宝飾品など

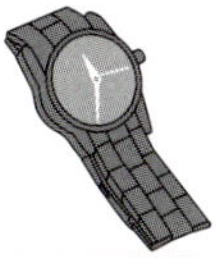

●自分の家で使いたいもの
食器
カメラなど

●親が大切にしていたもの
親が描いた絵
親が縫った服
ゴルフクラブ
楽器
切手など

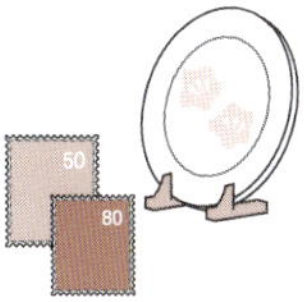

●自分の家にあるものよりも性能がいいもの
大型テレビ
冷蔵庫など

一度「不要」と決めたら振り返らない
「あったらいいかもしれない」もの
新生活に収納するスペースがない

プロがみたエピソード！

本の中に重要書類が隠れている!?

本棚におさまっている本や箱などは不要品だと判断する前に、必ず中身を確認しましょう。大切なメモやヘソクリなどが見つかることもあります。分厚い辞書から数十万円のヘソクリが見つかったこともあります。

家族がやること

その6

貴重品や相続手続きに必要な書類を確保する

現金や通帳、印鑑、保険証書、不動産の権利書などを確保するのが大切です。相続や手続きに必要な重要書類もありますので、間違って処分しないように注意して整理をします。

大切なものを確保してから片づける

遺言やエンディングノートがある場合、故人の意思を尊重して片づけをします。相続や手続きに関する重要書類の保管場所が明記されているはずです。

遺言やエンディングノートがない場合は、まずは現金、通帳、印鑑、貴金属等の貴重品を見つけます。保険証書、不動産の権利書、有価証券など相続に必要な重要書類、社会保障関係の証書も大切です。さらに公共料金の領収書も見つけておくと、解約手続きがスムーズになり、引き落としされている銀行口座の確認にもなります。公共交通機関の高齢者優待パス、運転免許証やパスポートなど返納手続きが必要なものもありますので、確保しておきます。

また、年賀状など故人宛の郵便物も大切です。友人知人に後日連絡することもあるかもしれません。貴重品や重要な書類関係は、できるだけ存命のうちに確認しておきたいものです。

確認しておくべきもの

契約書や証書関係などは遺産分割協議に必要なことも多く、期限のある手続きもあるので、家の片づけと同時に進めるか、片づけ前に確認しておきましょう。

最近では通帳を発行しないインターネットバンクも。それらについては郵便物などをチェックして問い合わせよう

- 現金
- 銀行通帳・印鑑
- 貸金庫の書類

これらの重要書類の中には引き継ぎ、解約等の手続きが必要なものがたくさんある

- 生命保険の証書
- 不動産権利書
- 有価証券類
- 証券口座の書類
- 年金手帳
- 健康保険証
- 運転免許証
- パスポート

これらの書類の中にも解約等の手続きが必要なものがある

- 電気、ガス、水道など公共料金領収書
- クレジットカード
- プロバイダの書類

亡くなった後に、知人に連絡を取りたいケースがある

- 住所録
- 年賀状

高額そうなものは確保

- 貴金属などの高級品

遺志の表示されているものを探す

- 遺言
- エンディングノート

プロからのアドバイス！

手続きを怠ると不正受給になる!?

国民年金や厚生年金を受給していた人が死亡した場合、遺族は死亡後14日以内に役所や社会保険事務所に、年金証書を添えて死亡届や支給請求書を提出します。最悪な場合は不正受給とみなされることも。

家族がやること

その7

相続の対象の可能性になる貴重品を取り置く

指輪などの宝飾品や貴金属といった高額なものは相続の対象になる可能性もあるので、最初に取り置きます。

貴重品は関係者に確認して処分方法を決める

高額と推測されるような宝飾品や腕時計は、相続の対象になることがあります。遺言やエンディングノートに記載があれば、それに応じるためにも片づけ前に確保します。

どこに保管しているかわからない場合は、**故人の性格や生活を推測**して探し出すことになります。タンスの一番上の引き出し、仏壇の引き出し、女性の場合ならドレッサーなどに保管していることもあります。保管場所が分からない場合は、片づけを進めていく中で貴重品らしきものを見つけるたびに「必要なもの」もしくは「保留」に分類していきましょう（その5参照）。

ものに対する価値観は人それぞれです。一見すると役に立たないガラクタであっても人によっては貴重品ということも少なくありません。有名なブランド品以外は価値もわかりませんし、本物かどうかも素人に判断がつかないこともあるので、片づけと並行してプロに見てもらうのもいいでしょう。**片づけ当日の参加者だけで処分方法を決めてしまう**と、後々揉めることになりかねません。関係者に確認するように進めます。

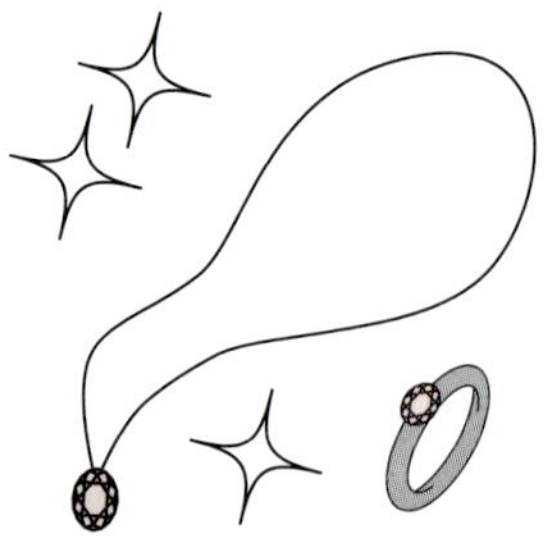

故人を推測しながら探す

大切なものや貴重品はテーブルの上に出しっぱなしということは少なく、ひとまとめにして保管していることが多いです。重要書類と一緒に保管されていることもありますので、注意しながら探します。

プロからのアドバイス！

トラブル回避のために言質をとる

下見や片づけに非協力的な関係者がいる場合、「相続対象物以外の処分は任せます」という委任状のようなものを書いてもらいます。これは片づけの判断に対することで、相続の権利を制限する訳ではありません。

家族がやること

その8

相続について決める

身内が亡くなると、相続人である人はあらゆるものの相続について考えていかなければなりません。3か月以内の手続きのために、まずは遺産の状況をしっかり確認します。

相続方法には3つの方法があります

遺品整理を始める前にまず考えなくてはいけないのが、相続についてです。相続人が複数の場合は相続財産の手続きを済ませる必要があります。この部分をきちんとしないと、後々相続に関するトラブルの発生にもなりかねませんので、十分に注意してください。

相続の方法には、単純承認・限定承認・相続放棄の3つの方法があります。

①単純承認

財産にはプラスの財産、マイナスの財産というものがあります。明らかにプラスの財産の方がマイナスのものより多ければ、「財産を相続します」ということになります。3ヵ月以内に、限定承認や相続放棄の手続きを行わなければ、原則として単純相続をするものとみなされます。

しかし、プラスの財産の方が多いと思って単純相続とした後で、万が一マイナスの大きな財産が発覚してしまっても、一度選択した相続方法は原則として変えられないので、後で慌てないためにも、遺産の状況をきちんと調べておくことが大切です。

②限定承認

はたして財産がどれくらいあるのか、債務はどれだけあるのか、プラスマイナスはどうなるのか。そのような相続財産と債務がどれくらいあるのかはっきりわからないケースの時は、とりあえず限定承認を選択することが可能です。基本的に限定承認とは、相続によって得たプラスの財産の範囲で債務を弁済し、そのあとに残った財産を相続するという相続方法です。

③相続放棄

相続が発生しても、絶対に相続しなければならないというものではなく、相続人はあくまで自分の意思で「相続する、しない」を決めることができます。この制度は、債務超過状態にある相続財産の継承を免れるための制度ともいえますが、中には、自分が放棄して、違う人に自分の相続分を譲渡する目的で利用する人もいます。

しかし、親族関係を十分に調べておかないと、予想もしていなかった人に相続の権利が発生するという事態に陥ることもありますので、十分に調べておくことが肝心。相続放棄の際は、早めにその手続きをすることが必要です。

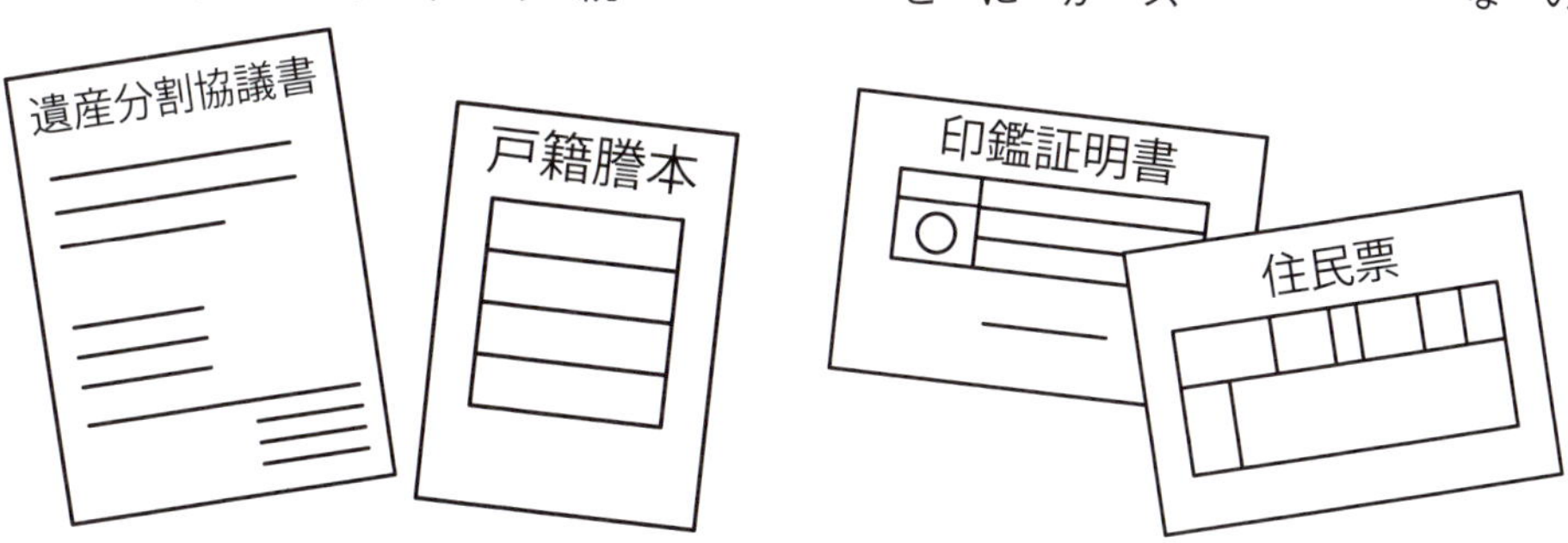

不動産や車両などの相続の手続きについて

故人の遺品を整理する際には、不動産や車などの相続の問題も発生してきます。相続に関する主なものには、〈住居の名義変更〉、〈車の名義変更・廃車手続き〉、〈故人の銀行口座手続き〉、〈故人の生命保険の手続き〉などが挙げられます。

■住居の名義変更

相続による不動産の名義変更は「相続登記」といいます。いろいろと専門的な手続きが必要となりますので、司法書士に依頼するのが一般的な方法です。

■車の名義変更・廃車手続き

故人が使用していた車は相続人全員の共有になりますが、相続する、廃車するにも必要な書類が必要になります。

■故人の銀行口座手続き

名義人が亡くなった場合、「銀行預金は相続財産」として、その口座は直ちに凍結されます。銀行に問い合わせし、必要書類を提出します。

■故人の生命保険の手続き

故人が生命保険に加入していた場合、保険金の請求にも期限と必要な書類の提出があります。早いうちに保険会社に問い合わせます。

廃車の手続きでこんなことも

廃車の買い取り業者の中には、適切な廃車手続きを行わずスクラップや海外輸送をしている業者が少ないですが存在しています。廃車手続きがされない場合、翌年に自動車税が請求されて支払わざるを得ない例もあります。自動車税を払っていれば廃車手続き後に必ず半端な金額が還付されますので戻ってきていないなどがあれば危険です。更には車検が残っていれば自賠責、重量税の還付がされる可能性もありますので安心できる業者に依頼することが大切です。

遺産相続がプラスかマイナスになるかをまず考えて

全てを書き出すなど整理をして相続の内容を確認してから、方針を決めます。

豆ちしき

■「相続放棄の手続き」と、「相続放棄の取り消し」について

●相続放棄は、家庭裁判所に「相続放棄申述書」を提出して行います。

●申述人が未成年である場合には法廷代理人が代理して行わなければなりませんし、提出する書類も何通かあります。

●申述期間は、自己のために相続が開始したことを知った時から3ヵ月以内に行われなければなりませんので、早いうちに確認することが大切です。

また、何らかの事情で、「相続放棄を取り消す」となった場合にも取り消しが行える時期があります。相続放棄申述書を提出の際には一応確認しておくことをおすすめしています。

家族がやること

その9

形見分けする機会を関係者全員でつくるとよい

高級な貴金属や腕時計、美術品などは関係者で形見分けするようにすすめています。なるべく親類縁者の関係者全員が揃った場を設けると、調整しやすく、合意も得やすくなります。

形見分けは葬礼の慣習のひとつ

遺品整理の前にしておくといいのが形見分けです。故人が他界して間もないうちに形見分けの話を切り出すと、気持ちが落ち着いてない人もいるかもしれません。四十九日法要など、関係者が一同に集まるときに形見分けの相談をすることが多いようです。

形見分けは法律に定められたものではなく、慣習のひとつなので、形見分けをしなくても問題はありませんが、**遺言書に形見分けを指示していた場合**は遺産相続と同じ扱いになります。**高額な品は相続の対象**になることも注意しつつ、思い出を引き継ぐために行われるものと覚えておきましょう。

身内の一部で生前に形見分けの話をしていると、それを知らずに形見分けがされて揉め事の一因になることもあります。故人も遺された親族も悲しい思いをしてしまいますので、形見分けをする前に**関係者全員で話し合い**をする機会を設けることが大切です。

全員が揃った時のタイミングが重要

形見分けは、関係者全員が揃ったときに話し合いをするのが理想的。誰も引き取り手のないものは、買い取り業者に依頼するか、ほかの捨てるものと一緒に処分することになります。

高級腕時計　高級バッグ　宝飾品、貴金属　美術品・骨董品

食器　着物　写真

形見分けになりそうなものは兄弟姉妹、子や孫、親類で確認

プロからのアドバイス！

形見分けは相続とは別物である

相続放棄した人でも形見分けに参加できます。しかし、金銭価値の高い品を形見分けとして相続放棄した人が譲り受けることは、「相続財産の処分にあたり、相続放棄は認められない」とみなされる場合もあります。

家族がやること

その10

不用品の処分、ゴミ出しの実際

家の片づけで引き取れるものはほんの一部で、大量の不要品がでますが、ルールに沿った処分が必要になります。ゴミが出せる日、引き取りの予約に合わせてスケジュールを調整します。

地域のルールに沿ったゴミ出しが大切

家の片づけや遺品整理では大量の不要物（ゴミ）が出ます。それぞれ処分方法も違いますが、ここでは一般的な処分方法を見てみましょう。

①地域の一般ゴミの日に出す
②地域で指定されている方法で処分
③リサイクル業者、不用品回収業者に依頼（コツ24・コツ31参照）
④寄付する（コツ13参照）

地域のゴミの日に問題なく出せるものについては、まずはゴミの日を確認し、その日に合わせて出すというのがベスト。該当地域の市町村ホームページや地域の役所などで確認する必要があります。

ゴミの出し方にもいろいろな配慮が必要

一般ゴミが大量になった場合、「ご近所の目が気になり、一度に捨てられない」ということもあるかもしれません。とはいえ、遠方から通って片づけをする場合はゴミ捨てのために何度も足を運ぶのは大変です。その場合、自分でゴミ処理場※へ持ち込むという方法もあります。

ゴミ処理場へ持ち込む場合、自家用車でもかまいませんが往復回数を減らすためにも軽トラックやワゴン車があると便利です。不要品の処分のみを業者に頼む方法もありますので、トラックを借りる費用、業者に頼む費用を比べて検討して手配をします。

※各市町村に問い合わせやホームページに掲載があるので確認してみましょう。

プロからのアドバイス！

不法投棄がトラブルを招く

家庭ゴミも不法投棄すると罰金刑が科せられます。「誰のかわからないだろう」と捨ててしまうと、後々トラブルにもつながります。業者が不法投棄することもありますので、供養と処理方法を心得た遺品整理業者に相談してみるといいでしょう。

家族がやること

その11

廃棄物処分やリサイクル家電の処分

不要なものはゴミとして処理することになりますが、その種類によって処分方法が異なります。パソコンや家電製品は特別な回収方法が決められているので事前確認のうえで処分します。

不適切な処分は法律違反になります

家庭から出されるゴミは、大別すると●一般ゴミ●資源ゴミ●粗大(大型)ゴミに分けられます。特に手配が必要になるのは、粗大ゴミと家電リサイクル法の対象家電です。

●粗大ゴミとは

耐久消費財その他の固形廃棄物のこと。ただし、排出禁止物(単品で重量100kg以上、長さ2m以上、体積2㎥以上のもの、家電リサイクル法対象のテレビ・冷蔵庫・洗濯機・エアコンなど)は該当しません。

家電リサイクル法の対象家電は回収してもらう、新しいものはリサイクルショップに買い取ってもらうこともできます。タンスや食器棚など大型家具は分解して粗大ゴミとして処分できますが、状態が良いものは家電同様に買い取ってもらうと処分費用を抑えられます。なお、個別の処理方法は第3章でご説明します。

リサイクル家電対象品

ゴミを処分するのもお金がかかる時代になりました。分別を間違えて不適切に処分すると罰金刑等に科せられることもありますので、家電や大型家具などの処分方法には注意が必要です。

1.まず対象品目を確認

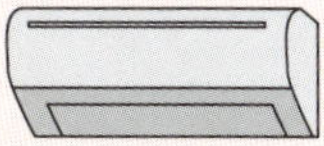

エアコン

テレビ
（ブラウン管、液晶・プラズマ）

冷蔵庫
冷凍庫

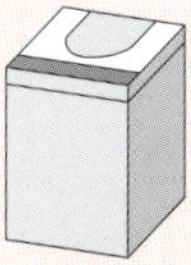

洗濯機
衣類乾燥機

2.回収方法を決める

電気店に
引き取りを依頼

市区町村に
問い合わせる

指定引取場所に
持ち込む

3.回収にきてもらう

※回収してもらうには、
「家電リサイクル券」への
記入が必要となります。

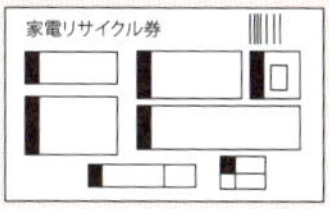

プロがみたエピソード！

賢く活用して処分費用を削減

新しく購入した家電であればリサイクルショップで買い取ってもらえます。逆に数十年以上前のレトロな家電はインテリアとしてアンティークショップで買い取ってもらえる可能性も。かなり費用が浮いた例もあります。

家族がやること

その12

賃貸の退去や持家の売却予定がある場合は、業者に依頼も

遺された家族が遠方で片づけられない、近くても片づけする人員や時間を作れない、退去や売却のため急いで片づける必要があるなどの場合は、業者に依頼するという方法もあります。

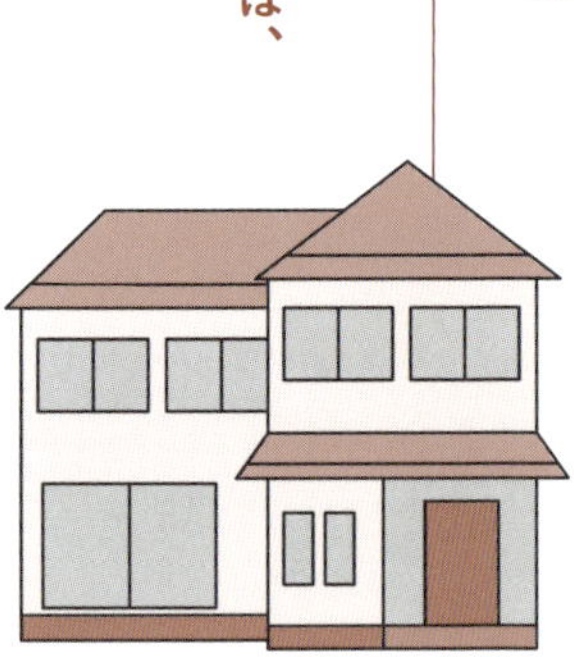

空き家にするとたくさんのリスクがある

「家の片づけは、ある日突然やってくる」と経験した多くの人が口を揃えて言います。他界して遺品整理する時だけではありません。病気やケガで介護が必要になり病院や施設に入所することもあるでしょう。そのようにして家を長期間空ける時、身内である家族が住む人がいなくなった家を片づけることになります。

家が賃貸の場合、住まない家に家賃を払い続けることになり長くなるほど経済的負担も大きくなります。持ち家の場合、子ども世代の家族が移り住む場合も片づけは必要です。もし誰も住まない空き家になると劣化が進み、地域の安全や防犯に影響を及ぼす可能性も出てきますし、固定資産税もかかります。

住む人がいなくなった家は、いずれは片づけなくてはいけません。賃貸物件からの退去など、早急な対処を迫られた時は、**専門業者に依頼するのも選択肢の一つです。**

いずれ実家は片づけなければならない

遅かれ早かれ片づける可能性のある家があるなら、住む人がいない空き家の状態が長引かないように、早めに相談して方針を決めておきましょう。

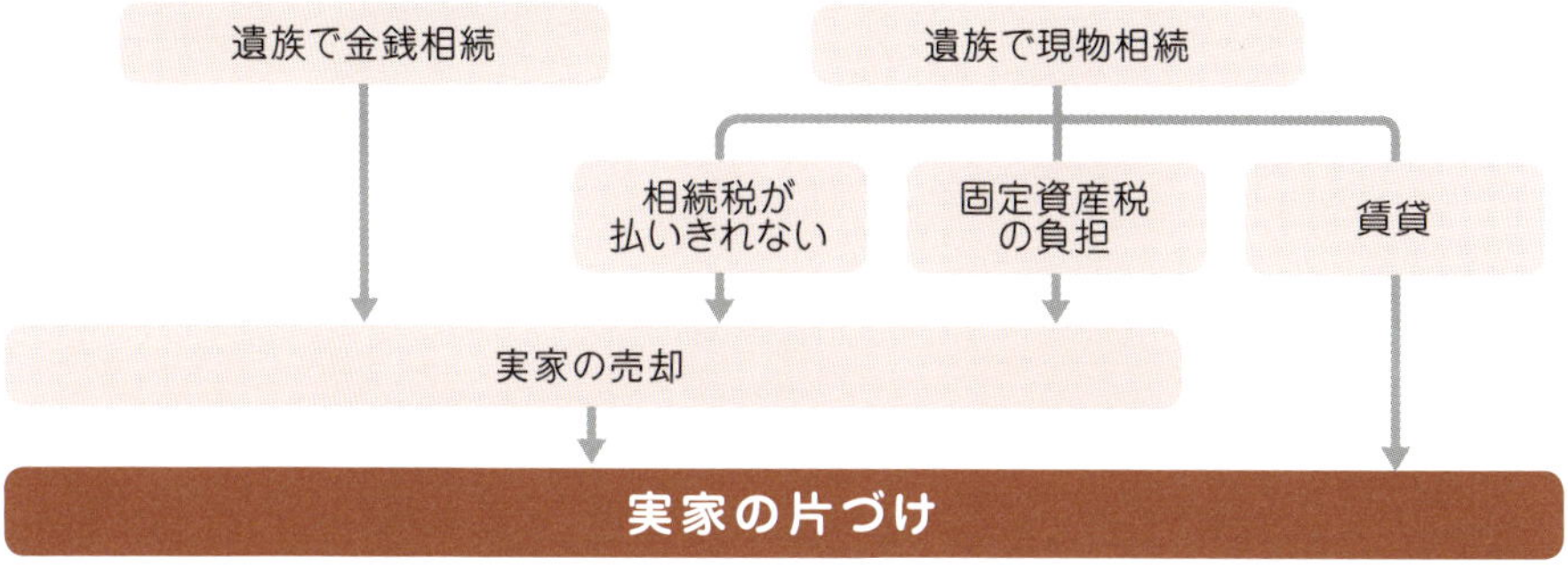

トータルに考えプロに頼ってみるのも手

片づけられず長期化しそう、早急な対処が必要になりそうなら、プロに頼むのもひとつの手段です。時間がない中で急いで対応すると、大切なものを紛失したり、処分費用も高額になる可能性もあります。

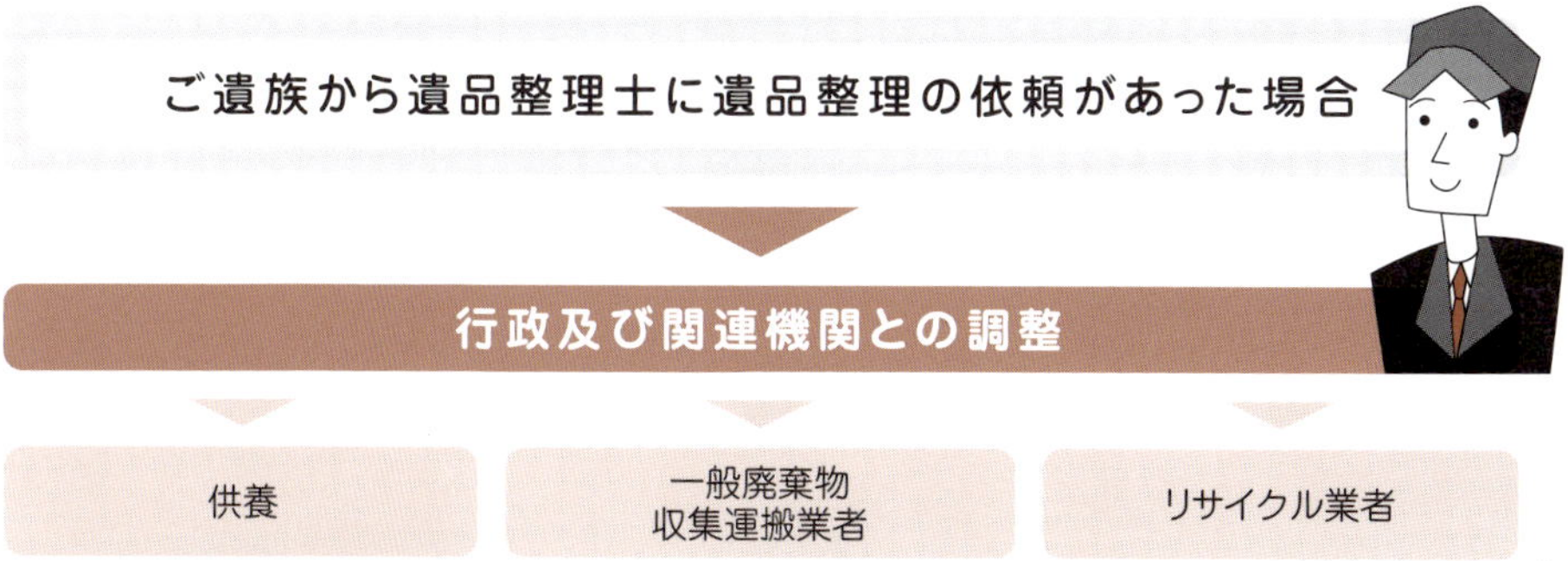

プロがみたエピソード！

納得いく方法で片づける

最初は遺された家族で遺品整理をする予定でしたが、なかなか片づかず1年以上経って遺品整理士に依頼。作業は1日で済んだので「もっと早くに依頼すればよかった！」という依頼者がたくさんいます。

エピソード④ 【Wさん 70代男性】

「長く病を患っていた妻が他界しました。わたしたち夫婦には子どももいませんし、親族もほとんどがすでに亡くなっています。わたしは高齢者施設に入所することにしましたので、妻の遺品とこれまでの家財道具を整理することにしました。しかし、わたしの体力では大きな家具は運べませんので、遺品整理士さんに処分をお願いしました。施設に入所するため必要なものはわずかですが、取り分けましたので作業に立ち会うこともせず、〝あとはすべて処分してください〟とお願いしました。わたしは行くあてもありませんでしたが、長く暮らした町をひとりぶらぶらと散歩をして時間をつぶし、その数時間できれいに片づけてもらいました。作業後、遺品整理士さんに支払いをしようとしたとき、なんと妻のへそくりが見つかったことを申し出てくれました。妻が他界してから手を付けていなかったぬか漬けの樽の中に数万円あったそうなのです。言わなければわからないことなのに、申し出てくれた遺品整理士さんの誠意がうれしかったです。さらに、妻の指輪やネックレスもいくつか見つかったと。わたしには宝飾品の価値などわかりませんが、買い取ってくれるところがあるそうです。後日、遺品整理士さんが宝飾品の売上金を届けてくれました。こんな気配りをしてくださる方もいるのだと、大変ありがたい限りです。わたしは運よく誠実な方にお願いできましたが、何よりわかりやすいところにお金や貴重品は保管すべきですね。」

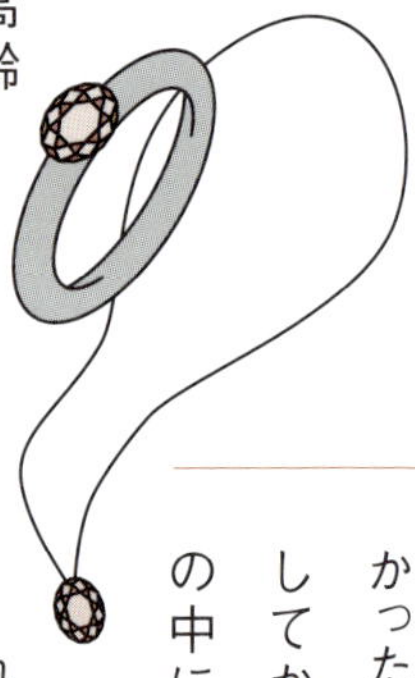

エピソード⑤【Sさん　70代女性】

「この間、主人の妹が亡くなりました。私も主人も70代で、義妹ももう70を超えていました。未婚でずっとひとり暮らしをしてきた義妹でしたので、誰も彼女の家の片づけをする者もなく、主人は体を悪くしていましたので、私が自分の兄弟にも声をかけ、協力してもらいました。やはり年寄りのひとり暮らしとはいえ、長年生活していた家ですから、とても年寄り数人で片づけられるような状況ではありません。みんなそれほど丈夫なわけでもなく、自分の家の掃除もままならないのに、人の家をまるごと整理するなどというのはとてもしんどいものです。でも、生前の義妹の顔を思い浮かべると、やはり誰かがしてあげなくてはいけない、と思ったのです。今は家族でも疎遠になるような時代ですが、やはり身内は大事ですし、人間関係は大切にしたいものです。私がある程度大事なものは見つけ、その処理を考え、あとは遺品整理業者に依頼しました。その後、作業が終了したという連絡を頂いたときに、びっくりするような報告を受けました。〝お金が数十万円出てきました〟。決して余裕があるわけでもなく、とてもつつましい生活をしていた義妹でしたので、そんなお金を持っていたなんて、とても驚きました。それだけのお金があるのなら、生きている時にもっと自分の好きなものを食べたりすればよかったのに、と涙が出てきました。そのお金は見つけられましたが、分かるように保管しないと捨てられる可能性もあり、ゾっとしました。」

コラム

意外なところから貴重品発見!?

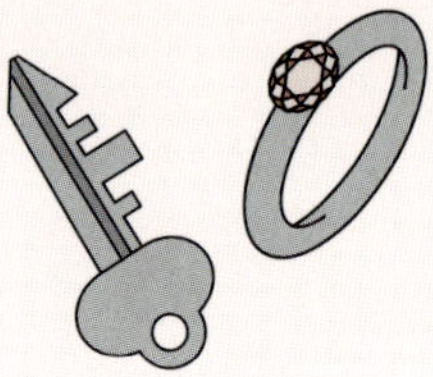

遺品整理において、大切な人の思い出の品や相続などの手続きに必要なものなど貴重品の確保は欠かせません。エンディングノートに貴重品のリストや保管場所の記載があったり、親族の方が貴重品を見つけられているといいのですが、保管場所がわからないということもあります。

遺品整理の依頼を受けるときは、まずはお宅にうかがい、見積もりをします。廃棄する物、売却できる物が、どれだけあるかを調べます。深く詮索することはありませんが、住んでいた家を見ると故人の人となりを推測できるので、依頼者が貴重品を見つけられないという場合でも経験豊富な遺品整理士なら見落とすことはまずありません。

故人が几帳面な方であれば、貴重品はひとまとめにしている場合が多いといえます。タンスや机等を注意しながら作業を進めていきます。洋服が好きな方であれば、タンスの隠し扉や引き出しの裏側に隠していることがあります。一方、雑然とした部屋だったりすると、いつもいるリビングや、よく着ていた洋服やコートのポケットに貴金属や現金があることもあります。

第2章

身内が困らないように遺すための片づけの極意

コツ 1

生前整理の大切さをお互いに確認する

今後の人生を快適に過ごすためにするのが「生前整理」です。財産をまとめ、不要品を処分することが、遺された家族への負担を減らすことにもなります。

生前整理は終活のひとつ

最近メディアでも多く取り上げられるようになった「終活」。これは「人生の終わりのための活動」の略で、人生の最期を迎えるにあたって行うべきことを総括したものです。

終活が注目されはじめた当初は葬儀や墓など人生の終焉に向けての事前準備という意味で使われていましたが、昨今は人生の最期を考えることを通じて、**自分らしく生きるための活動**として用いられることが増えてきました。この終活のひとつとして挙げられるのが「生前整理」です。

生前整理は、財産も含めて身の回りの整理をしておくことです。家や土地は誰に譲るのか、名義やお墓をどうするかといった相続に関わる対策や身辺整理が中心でした。しかし近年は、人生の節目のあとに自身の新しい生活を、快適に過ごすための整理も注目されるようになっています。

核家族化や高齢化が進む中で、遺された親族が遺品整理を行うことによる負担は増加していますので、いまや**生前整理は非常に大切な終活**といえます。また生前整理は、子ども世代だけではなく自分たちの生活を快適にすることにもつながります。元気がある時から少しずつ始めてみましょう。

子ども・孫世代への負担をできる限り減らす

親世代が何も片づけをせず他界すると、全ての整理や片づけを残された子・孫世代がやらなければなりません。家具、家電、衣類、食器など、人1人が生前に使っていた物は、想像よりも膨大な量になります。そしてその片づけには膨大な時間と労力が掛かります。例えば、所持品の価値などは持ち主にしかわからない事が多く、他界した後に身内が物の価値を判断するのは難しいケースもあります。値打ちがある装飾品などは、死後に分配を巡り遺族同士の争いに発展することもあるのです。そういった意味でも元気な内から不要な物の処分や譲渡を行い、少しずつ整理を始めることで遺族の時間的・精神的な負担を大幅に減らすことができます。また生前整理は死後のためだけではなく、物が減ることで生活が快適になり、今の人生を充実させることにもつながります。

生前整理の主な注意点

●一度に全ての物を整理しようとしない

深く考えずに物を捨ててしまうと、整理を終えてから後悔することも。

●気力・体力・判断力が充実している内にやる

大きな荷物を運んだり処分したりするには体力が必要。途中で辞めてしまわぬよう、また間違って物を捨ててしまわないよう気力と判断力も必要です。

プロからのアドバイス！

親の希望を子ども世代に伝えることも重要

生前整理をやり始めたが全ての片づけが終わる前に身体の調子を崩したり、体力的に限界を迎えてしまった、という場合も。そんな時は親世代から子ども世代に、「大切にして欲しい物のリスト」など希望を伝えておくだけでも、子ども世代の負担が大きく減ります。

きっかけ作りから生前整理を始める

生前整理を始めるといっても「夫婦暮らしだから」「一人になってからゆっくりやればいい」と考えて、そのうち億劫になってしまうもの。でも、突然の入院や状況の変化に際してサポートし対応するのは身内、特にお子さんです。「友人のお母さまなんだけど急に入院して…」「片付けるなら手伝うよ」といった話題があがったら、何かあればサポートするつもりで気にしているというサインかもしれません。ただ、こういった話題を身内から振られると「財産目当てなのでは」と疑心暗鬼になったり、「自分たちのタイミングで！」と意地を張ってしまうこともあると思います。またご自身で、同世代の著名人の病気の報道などを受けて何か手を付けなければと思っても、何から手を付けたらいいかわからないというケースも多いのではないでしょうか。

自分の弱さはなるべく見せたくない、またお子さんが遠い距離にいるとなかなか呼び出しづらいといったこともあると思います。そうした場合は、第三者であるプロの方に相談するのも選択肢の一つです。

気持ちよく整理するために

片づけをする際は、親の家は、子ども世代にとっても思い出の場所であることを忘れないようにしましょう。以前は関心がなくても、自分が家庭を持ち親になることで見直したいもの、受け継ぎたいものが出てくることもあります。「要らないわよね」のひと言でもよいので声をかけるようにしましょう。

上手に意見を伝える方法

親世代と子ども世代では、物に対する価値観はもちろん、例え親子でも考え方が違います。一度で全てを決めるのではなく、じっくりと話し合って解決にさせましょう。

ものが増えて減らない

- 何故捨てられないか、愛着や思い出を伝える
- 使い道や、何のための備えか明確にする

- 収納や保存の方法を一緒に考える
- 不必要なものは活用する方法（売却、譲渡、リメイク）などを提案

施設に入らず一人で住みたい

- 知らない環境で友達ができるか、思い出の詰まった今の家には戻れないかという不安を伝える
- どうしても入居するならこういう条件など、自分なりの希望や考えを伝える

- 高齢での一人暮らしへの懸念や、財力・体力について一緒に考える
- 施設のタイプもいろいろあること、選択肢として考えてほしいことを伝える

自分の意志で結論を出したと納得

プロからのアドバイス！

価値観を否定しない

長い人生を共にしてきたものは愛着があって、自ら処分するのは難しいものです。生前整理はこれまで生きてきた証を捨てる訳ではなく、今後の生活を快適にするためということを念頭に話し合いましょう。

コツ
2

まずは受け取る側とのコミュニケーション

誰に何を遺品として残すつもりでいるのか、元気なうちに相談しておくのがいいでしょう。

日頃からのコミュニケーションが大切

これまで度々触れておりますが、遺される子ども世代にとって、遺品整理は避けられないことで、ある日突然降り掛かってくることです。

元気だったのに急な病気、事故や怪我がもとで他界したり、最近いつも同じことを話しているな…と思っているうちに認知症が進んで意思確認ができなくなったり。高齢であればあるほど可能性は高まります。そのため日頃からコミュニケーションを大切にして、生前整理（コツ1参照）やエンディングノート（コツ3参照）について話し合っておくのがおすすめです。

また、子どもたちがそれぞれ家庭を持っている、離れて暮らしているのならなおさら、いつかしなければならない相続について相談しておくことも大切です。子どもたちのほうからは、親御さんが元気なうちにそんな話はしにくいと思われているかもしれません。しかし遺品整理にともなうトラブルは多々ありますし、時間に余裕がない中で作業することになる場合もあります。いざというとき冷静かつ迅速に判断できるように前

もって心づもりをしてもらうのがいいでしょう。
最近は高齢者を狙った悪質な詐欺なども頻発しています。「オレオレ～」という別人の電話に惑わされないように、身内の方とはなるべく間隔をあけずに連絡を取り合いましょう。お互いに今の状況を把握しておくことで、もしもなにか緊急事態が発生したとしても対応しやすくなるはずです。

普段からコミュニケーションを

日頃から電話や訪問などでコミュニケーションをとっておくことが大切。万一のことがあった後に困る場面は少なくなるでしょう

プロがみたエピソード！

どこに何があるかわからない実家

Uさんの両親は還暦を機に長年暮らしていた一軒家を売り払い、マンションに引っ越しました。数年後、父が他界して、母は高齢者施設に入所することになり、Uさんは家の片づけをすることになりましたが、そのマンションでお盆と正月休みしか過ごさなかったのでどこになにがあるかわかりません。「まめに連絡は取っていましたが、貴重品や着替えの場所もわからず大変でした」と。

コツ 3

エンディングノートを活用してみる

エンディングノートとは、人生の最終章を迎えるにあたり、ご自身の思いや死後の希望を、遺された家族が困らないように想いを伝えるためのノートです。

思いついたことを記入してみる

エンディングノートは「最期の覚え書き」で、自分の人生の記録や、残された人に伝えたい情報を書き記すものです。遺言書とは違って法的効力を持たないため、メッセージを伝えるというものになります。

いま、なぜエンディングノートを書き残すことをおすすめするかというと、最大の理由は、自分に万一のことがあったときも、**家族が困らないように**するためです。

ご自身もしくは配偶者の方が他界した後、「お葬式はどんなふうにしたらいいか」「大事な書類がない」「住んでいた家や家財道具の整理はどうしよう」など、生前に話し合っていないと遺された家族は判断に迷ったり、手続きが遅れたり、困惑することが多々あるのです。

ご自身の経歴や病歴、住所録や連絡先などをまとめることで備忘録にもなります。さらに、家族に対してメッセージを書き記すのもいいでしょう。普段、面と向かって言えないことだけど、どうしても**伝えたい想い**があるなら、なおさらエンディングノートが有効といえます。

遺品整理とエンディングノート

ご自身の死後、遺された家族には遺品整理という作業が待っています。本書において遺品整理の大変さや生前整理のコツを紹介していますが、遺品整理は煩わしいだけではありません。むしろ、**故人を偲びながら行う大切な作業**であり、供養にもなる尊いものです。ただ、考えたり、決めたり、手続きしたり、作業したりと労力は大変かかりますので、遺されたご家族の負担を軽減するためにも、エンディングノートに遺品整理についても記載しておくといいのではないでしょうか。

第1章で紹介している遺品整理の解説をご参照していただき、持ち家の場合は処分について、家財道具のリスト、手続き等に関する書類の保管場所、形見分けについて記載しておくと役立ちます。

プロからのアドバイス！

エンディングノートの入手方法

書店で関係本が多数取扱われています。最近は終活セミナーなどのイベントで無料配布や、ホームページから無料ダウンロードなどもあり、比較的簡単に入手することができます。エンディングノートの書式に決まりはありませんので、お手持ちのノートに「エンディングノート」とタイトルを付けて記入するのでも充分です。

エンディングノートの記入項目例 ❶

エンディングノートに記入するとベストと思われる内容の一例です。この他にも遺される人たちに伝えたいことなどを書いてみましょう。

□自分について

（生年月日・家系図・学歴・かかりつけの病院など）

□子供との思い出について

□これまで住んだ家や場所について

□友人関係について

□ペットについて

（飼育上の注意・かかりつけの獣医・ペット保険）

□親族や関係者の情報

（関係について・住所・電話番号・葬儀告知の有無）

□介護が必要になった場合

（施設・ヘルパー・家族の誰にお願いしたいかなど）

□治療について

（告知はしてもらいたいか・終末治療の希望・臓器提供や献体）

□保険や年金について

（生命保険、損害・傷害保険勧誘の有無など）

□PCデータの処分方法について

□携帯電話、会員サービスなど

（メール・SNSなどのアカウント）

エンディングノートの記入項目例 ❷

□葬式とお墓について

（何人くらい呼ぶか・宗派・どこで行うか・喪主は誰など）

□お墓の費用について

□希望する埋葬方法について

□葬儀について

（供物・供花・お香典・遺影・棺・骨壷に入れてほしいもの・納棺時の服装）

□形見分けについて

□資産について

（銀行の口座・カード・その他金融資産）

□遺品整理について

（家や家財道具の処分方法）

□相続的な内容について

（※エンディングノートに書いても法的効力はありません）

□遺された人へのメッセージ

□遺言書の有無

（※ある場合、自筆証書遺言・公的証書遺言・秘密証書遺言について）

コツ 4

葬儀・墓をどうするか

家族が亡くなった際、遺族が困ることの一つに「葬儀とお墓に関する選択肢」があります。葬儀や墓のバリエーションが豊富な現代では、どんな葬儀・遺骨の供養を望んでいるかを家族に伝えておくことも大切です。

近年は家族葬や納骨堂が主流

葬儀は自分の人生を締めくくる一大イベント。その予算は規模と出席者の人数によって大きく変わりますので、事前に呼びたい人のリストアップをして家族に伝えておくと遺された側も困らず済みます。最近では少子高齢化や予算の関係で家族葬の形式が多くみられます。事前に遺影のほか棺に入れて欲しい物、会場の花、旅立ちの際の服装などを家族に伝えておきましょう。とはいっても「自分の葬儀をあまりイメージできない」という方は、葬儀社の「葬儀事前相談」を利用することも検討してみるのもいいかもしれません。

お墓は大きく分けて「家墓」と「納骨堂」の2タイプがあります。これまで一般的であった「家墓」はその後に継承者が居るかが重要で、居なくなってしまった場合は共同の供養塔などに入ることになります。また新しくお墓を建てる場合は墓石のほか土地の使用料（永代使用料）など少なくないお金もかかります。近年では屋内施設に骨壺を集めた「納骨堂」をはじめ、自然回帰の思想から来る「樹木葬」、海や山に遺灰を還す「散骨」などお墓や埋葬法にも様々な種類があります。自分のお墓や埋葬法に希望がある場合は早めに家族に希望を伝えておくとよいでしょう。

墓じまいについて考える

就職や結婚を経て地元から出てしまい、遠方にある先祖代々受け継いできたお墓にほとんどお参りができないという人も居るでしょう。そんな時は改葬（お墓の引っ越し）という手段も検討しましょう。

●改葬の具体的な流れ

お寺や運営会社など墓地管理者に相談

↓

墓に誰の遺骨があるか確認

↓

遺骨の次の場所を決めておく（関係者と意見をまとめておく）

↓

墓地管理者に墓じまいを伝える（専用の書類に記載）

↓

墓地管理者に改葬許可申請をする

↓

遺骨の引き取り

↓

新しい墓や納骨堂に移る際は受け入れ証明書を発行
※自治体により異なるため確認

↓

墓地を管轄する市区町村で「改葬許可申請」の手続き

↓

申請書を墓じまいする寺に提出

↓

専門業者に墓の撤去を依頼

↓

墓地管理者に永代使用権を返納

プロからのアドバイス！

都市部の場合は納骨堂がおすすめ

実家の墓はメンテナンスが大変、という方も居るでしょう。最近のトレンドはやはり納骨堂で、実家の墓を納骨堂に改葬する例も増えています。通い易ければそれだけお墓参りの回数も増えますし、中には駅近で自動搬送タイプの最新納骨堂もあります。

コツ
5

「贈与契約書」で意思表示をする

遺品を残して旅立ってしまう立場にある場合、遺される家族のために、整理についての意向を伝えたり、書面に残したりすることが大切です。

「贈与契約書」という方法もあります

コツ3でエンディングノートの必要性についてご紹介しましたが、遺志をなるべく果たして欲しいとお考えなら、遺言書をしたためるといいでしょう。しかし、遺言書はなにかと手続きがあり、遺言書を用意するほどでもないと思うかもしれません。そのような場合は、自分の財産を無償で誰かに譲ることを書面にまとめる「贈与契約書」という方法があります。

贈与とは、財産を譲る側の意思表示に、受け取る側が承諾して成り立つ契約なのです。つまり、財産を受け取る側の承諾がなければ贈与は成立しません。財産は不動産や預貯金に限らず、宝飾品や形見分けの品でも構いません。この贈与は契約手続なので、相続とは直接の関連はありません。また、贈与には生前贈与と死因贈与がありますが、まずは遺品整理に関連することとして死因贈与についてご紹介します。

「死因贈与契約書」とは、自分が死亡した場合、誰にどの財産を渡すかを生前にあらかじめ契約しておき、それを書面にまとめたものです。遺言書と似たような役割を果たしますが、遺言書と違う点もいくつかあります。ひとつには、自書でなくてもよく、日付や押印も不要ですが、本人が書いたものであるという証明さえできればよいとされています。また、贈与者、受贈者双方の合意が必要で、もし**受贈者がこの契約を知らなければ成立しません。**

遺言書や贈与契約、エンディングノートいずれでも構いませんので、なにかしらの意思表示を日頃から準備しておくといいでしょう。

「贈与契約書」のつくり方

「贈与契約書」の作成には、下記の点に注意しましょう。不明点等は、公証役場、弁護士、行政書士に相談することをおすすめします。

※一例としてこのような契約書などもあります

贈与契約書

贈与者○○○○を甲、受贈者○○○○を乙として、甲乙間において次の通り贈与契約を締結した。

（贈与の目的）

第1条　甲は、甲の所有する下記記載の財産（以下「本件財産」という）を乙に贈与し、乙はこれを受諾した。

（1）宅地　所在　○○市○丁目
地番　○○番○○
地目　宅地
地積　○○○○平方メートル

（2）建物　所在　○○市○丁目○○番地○○
家屋番号　○○番○○
種類　居宅
構造　木造瓦葺平屋建
床面積　○○○○平方メートル

（3）普通預金　○○銀行　○○支店　口座○○○○　金○○○○○円

（移転登記等）

第2条1　甲は乙に対して、平成○○年○○月○○日限り、本件財産を乙に

負担する。

（公租公課の負担）

第3条　土地・建物に課税される公租公課については、所有権移転登記までは甲が負担し、所有権移転登記以後は乙が負担する。

上記の通り契約が成立したので、本書面を2通作成し、甲乙各1通を所持するものとする。

平成○○年○○月○○日

（贈与者）　住　所
氏　名（甲）　印

（受贈者）　住　所
氏　名（乙）　印

プロからのアドバイス！

「贈与契約書」は公正役場で作成可能

ご自身で「贈与契約書」を作成し、贈与契約の存在、作成時期を明確にしておきたい場合には、公証役場に作成した契約書を持参して「確定日付」を押してもらいましょう。また、公正役場で作成してもらうこともできます。

コツ 6

生前贈与で相続問題を軽減

子どもだけではなく、かわいい孫たちにも効率的に資金を残したい。そんな時は優遇措置や特例を有効活用して生前贈与を計画するのがおすすめです。

年間110万円以内なら贈与税は掛からない

人が亡くなった際に一番困るのがやはり遺産相続の問題。子どもが2人いて、内1人は不幸にも自分より早くに亡くなっているが孫がいるパターンだと、法定相続人は子どもだけになるので遺言状を作成して財産を孫に残す意志を示さないとなりません。しかし、生きている間から援助したいという気持ちもあるでしょう。そんな時は少しずつ贈与することをおすすめします。

贈与税の基礎控除額は**受贈者1人あたり年間110万円**までです。そのため子に限らず未成年の孫や子の配偶者など複数の人に対して贈与をすることで、多くの財産を非課税にすることができます。ただし、毎年同じ金額を贈与し続けると定期贈与とみなされ、年間の贈与額が110万円以下であっても贈与税が課税されてしまう場合があります。それを避けるために贈与を行うたび、**贈与契約書**を結ぶことを推奨します。また、**手渡しの場合相続税として課税される場合もあるため、子や孫の銀行口座に振り込む**方が良いでしょう。ただし「孫の分も一括で子の口座に振り込む」と子への贈与とみなされ、課税対象になるので注意が必要です。他にも教育や家の建築などに関する特例もあるので迷ったら税理士(コツ34参照)へ相談することをおすすめします。

子どもが2人、孫が4人いる場合の生前贈与の一例

相続税は3000万円+法定相続人の数×600万円が基礎控除で無課税となります。
6000万円の資産を子ども2人が相続する場合、「3000万円+600万円×2人」で4200万円分は基礎控除で無課税となりますが、残りの1800万円に対して180万円の相続税が発生します。

しかし生前に子ども2人と孫4人に年間110万円ずつ贈与した場合年間合計660万円を非課税で渡すことができます。これを5年間続けた場合、3300万円の相続財産を0円で渡すことになります。死亡時は2700万円が残りますが基礎控除以内なので相続税は0円となります。

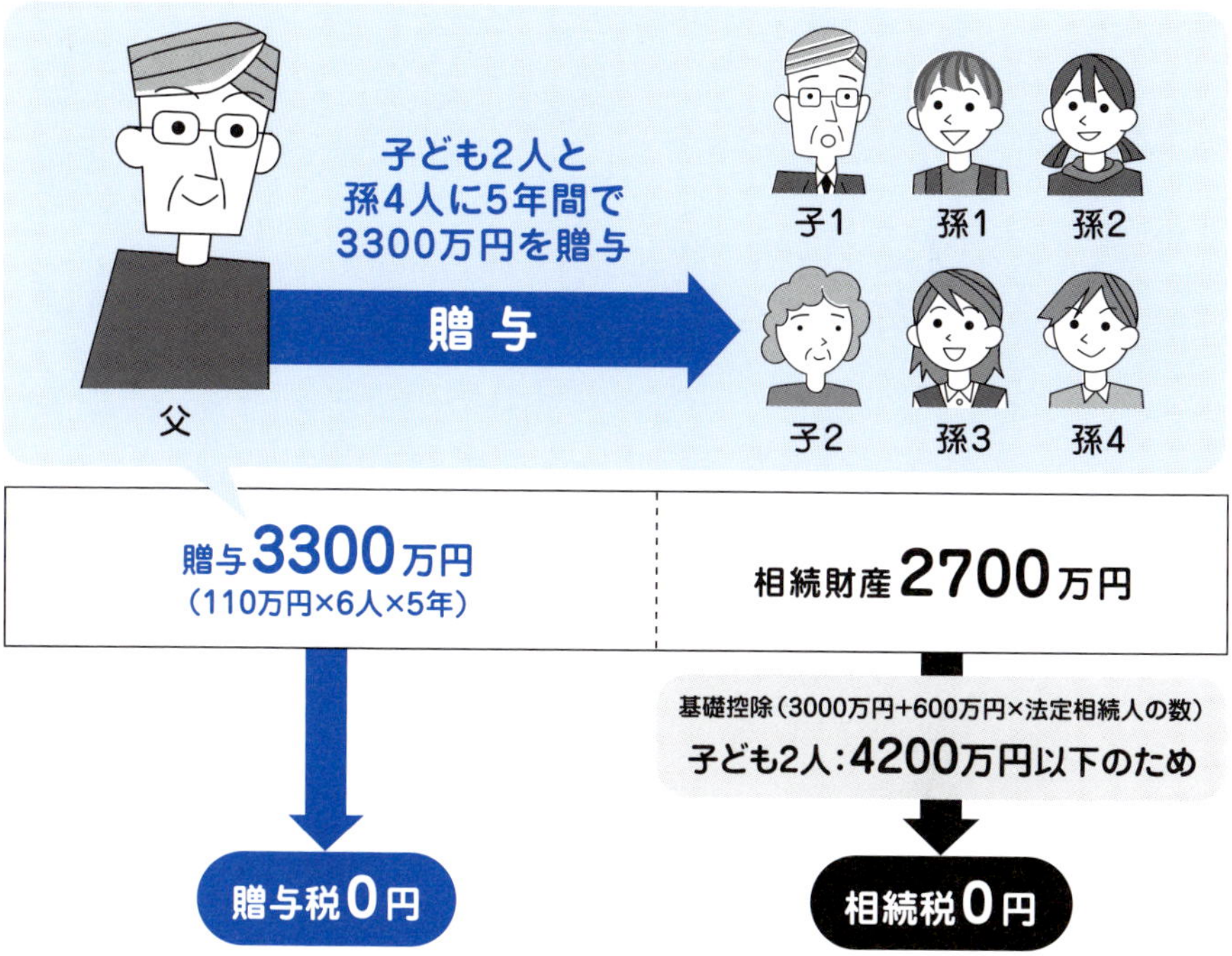

プロからのアドバイス!

死亡前3年以内の贈与は相続税の対象

死亡直前の相続税逃れを防ぐために、死亡日からさかのぼって前3年以内の贈与は「生前贈与加算」として、相続財産に加算され、課税の対象となります。但し、法定相続人でない孫に相続税が発生するかはケースバイケースなので詳しくは税理士に相談した方が良いでしょう。

コツ 7

生前整理を楽しみながら進めていく方法と注意点

長年使用した家財道具の必要・不必要の判断は難しいものですが、元気なうちになるべく不要品は処分して、身辺だけではなく気持ちも軽やかにして新しい生活を楽しみましょう。

ものを処分しても思い出はなくなりません

生前整理をすると思い立っても「なにから手を付けていいのか分からない」と感じる方も多いでしょう。

生前整理の必要性を理解していても、暗いイメージがつきまとい積極的になれないかもしれません。自分の死後のための整理ではなく、これからの生活のための整理という気持ちで取り組み、懐かしい思い出に浸りながら片づけると、人生の振り返りにもなり、楽しみながら生前整理を進められるでしょう。

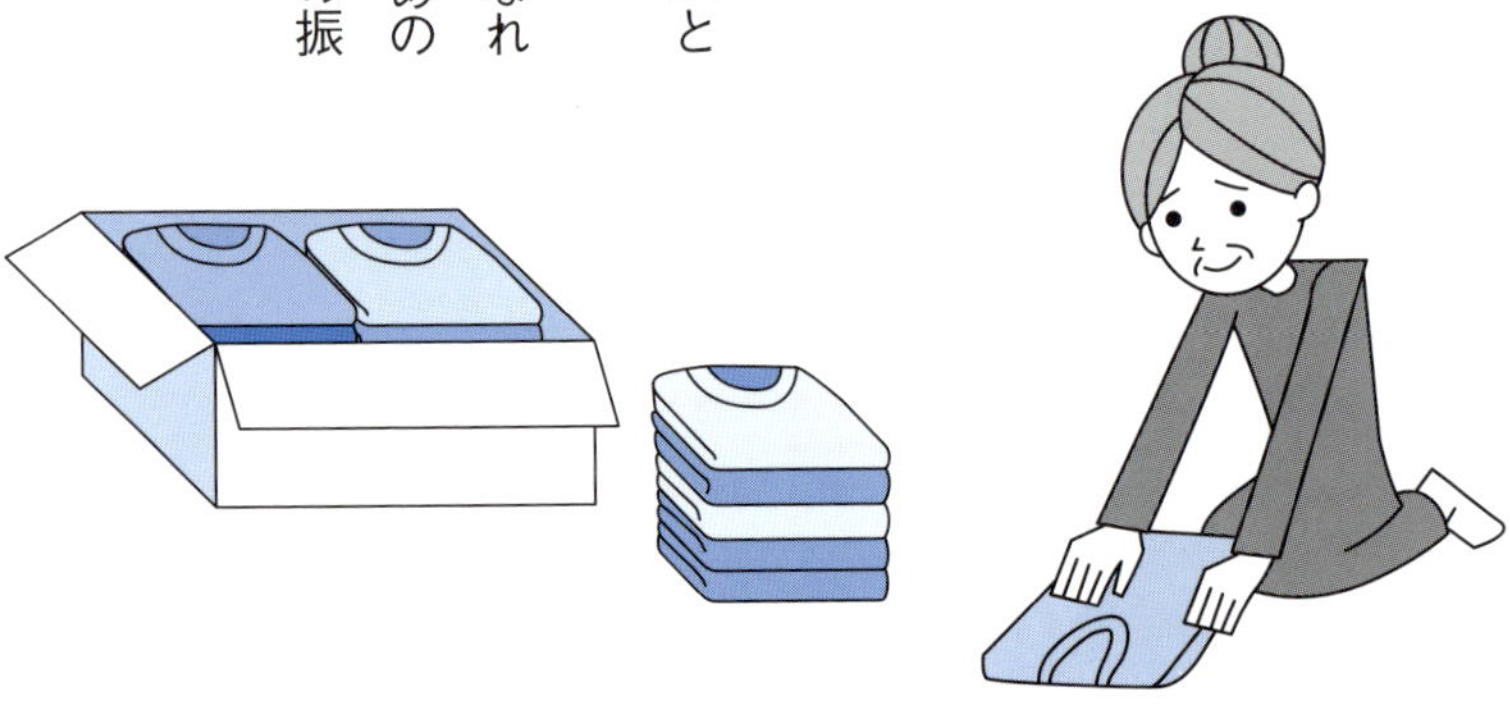

①必要なものと不要なものを分ける

これからの生活を快適に過ごすためにも、なるべく不要品は処分しておきたいものです。しかし長年使用した家財道具や衣類などを必要・不必要と判断するのは難しいでしょう。まずは「長い間使用していないものは捨てる」、「なくても生活に支障のないものは捨てる」というように自分の中で条件を設定しながら不要品を選別していきましょう。一度不要品と判断したものには未練を残さない思い切りも必要です。

②思い出の品を整理する

一番難しいのは思い出の整理といえるでしょう。家族のアルバムや記念品、土産物等、人生の歴史が長い程たくさんあるものです。でも、ご本人が使用していないものは、基本的に遺されたご家族も使用することはありません。そこでダンボール1～2箱におさまるように整理するなど、目標を立ててみてはいかがでしょうか。大きくてかさばる思い出の品は写真に残すと、時折思い返すこともできますし、整理しやすくなります。

③財産をまとめておく

金融資産、不動産などの重要書類をまとめ、一覧表を残しておきましょう。借入金や債務保証の内容などマイナスの財産も相続財産になりますので、遺された家族の負担を減らし、相続トラブルにならないためにも、財産はなるべくまとめておきましょう。

プロからのアドバイス！

遺品整理士が生前整理をお手伝い

生前整理は生きているうちから人生の整理を重ねて、これからの人生を楽しむ準備という捉え方が広がっています。そのため幅広く片づけのノウハウを熟知した遺品整理士がサポートする場合も増えています。

コツ 8

家族の転機をきっかけに

元気なうちに片づけを、と思っていても中々タイミングが掴めないままズルズル時間が過ぎてしまうことも多いです。そんな時は子ども世代の独立や、孫の誕生時など節目に思い切って行動するのも一つの手です。

マイホームから住み替え

家の片づけのタイミングとして子ども世代の結婚や孫の誕生など、**ライフステージの変化を機に住み替えを検討するのも一つです。**それまで一戸建ての持ち家に住んでいた場合も、子どもが独立し夫婦で二人暮らしになると居住スペースもそこまで必要ではなくなります。住み替えする際は小規模の戸建てもよいですが、室内に階段等がないマンションもおすすめです。

エレベーター付きの物件を選べば、高層階に住んでいても外出もしやすいです。またマンションでは共用部分のメンテナンスなどは管理組合が行ってくれるため、高齢の親世代が住んでも外壁や庭などを自分で管理する必要もなくなり安心です。また物件にもよりますが、オートロックが付いている場所など、セキュリティ面においても安心して暮らすことができます。思い出の詰まったマイホームを手放す決断をするのはなかなか大変ですが、今ではバリアフリー化されたマンションも多く、**また高齢者向けの補助金制度のある賃貸住宅などもあります。**このように住み替えをすると、引っ越しの際に持っていくものを自ずと選別する機会にもなりますし、不要なものを処分することもできます。

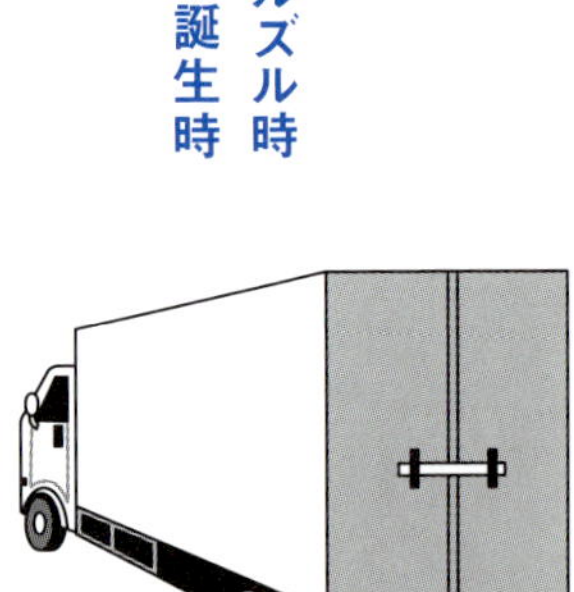

介護生活も見据えて

場所や物件のほか、重要なのは老後の生活を誰と送るのか、また介護が必要になった場合にどうするか。家族と話しあっておくのもよいでしょう。

高層マンションやオール電化の物件を検討する時は、メリットとデメリットをしっかり確認しましょう。
自然災害時の停電、断水など、ライフラインに影響が出たときに自分たちが対応できる設備・環境かもチェックしましょう。

プロからのアドバイス！

物件を選ぶポイント

高齢者の暮らしやすい間取りを選ぶことをおすすめします。家事動線が良く、室内での移動距離が少ない間取りだと暮らしやすいでしょう。食洗機のように家事負担を軽減できる設備が備えてあるとさらに良いかもしれません。

コツ 9

思い切った断捨離

子どもが巣立って夫婦暮らしや一人暮らしになったら、思い切って整理を始める機会です。大勢が集まることを前提とした客布団や食器などの整理をはじめましょう。

老後に合わせて断捨離を始める

いざ物を整理しようと思っても、思い入れがあるものを捨てるという行為はエネルギーが掛かります。また、身の回りのものが少なくなって、また買いなおすのでは意味がありません。そこでおすすめしたいのが断捨離です。

断捨離をする上で重要なのは、本やネットの情報や意見を聞いても、**最終的には自分で決断して捨てること**。そして**これからの自分がどう生きたいかを思い描いていくことです**。例えばお客さん用の布団や食器。若い頃は会社や学生時代の友人が泊りがけで遊びに来たり、子供が結婚して孫が生まれたら一緒に泊まりに来ることもあったかもしれません。しかし、友人も年を重ねれば泊まることに遠慮があるでしょうし、2019年に発生した新型コロナウイルスの影響で不必要な移動は控える空気が醸成されている中、これらのものが本当に必要かを考えなければなりません。**家具も応接用のものからお気に入りの小さなものに替える機会が来た**と思い、前向きに整理をしましょう。脚立やイスを使わないと取れない場所に収納しているものは安全面を考えて必要分以外は捨ててしまいましょう。特に食品や洗剤などは必要分のみで大丈夫です。

ただし、他人のプライベートスペースを**無断で整理するといつまでも根に持たれる**ことがあります。夫婦や子どもと同居している場合は、独断で決めずに相談しましょう。相談しながら片づけると昔の思い出がよみがえり、後で捨てたことに後悔するより、家族と一緒に楽しめたと考えることができます。

断捨離しても良いものの例

来客用のもの

- 布団
- 食器

大きな家具

- ソファ
- タンス

大量の日用品や保存食

- 缶詰
- 洗剤
- トイレットペーパー

※非常食は最低3日分/人が基本

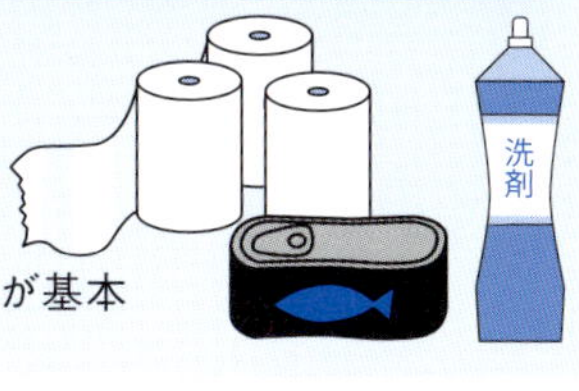

プロからのアドバイス！

断捨離して後悔するもの

断捨離をする上で、大抵のものは捨てても困らないのですが、いくつか捨てて後悔するものがあります。絶版して電子書籍化されていない本は後悔する人が多いようです。また手帳やアドレス帳、昔の携帯電話、年賀状などは知り合いの連絡先が残っているため、デジタル化した方が良いでしょう。

コツ 10

後悔のないよう、写真や手紙の処理はゆっくり考えて

一般にできるだけ短期間で済ませたい遺品整理の中で、遺された家族が持ち帰ってゆっくりどうするか考えたいのが、写真と手紙です。特に写真は、家族の想いも考えて慎重に整理しましょう。

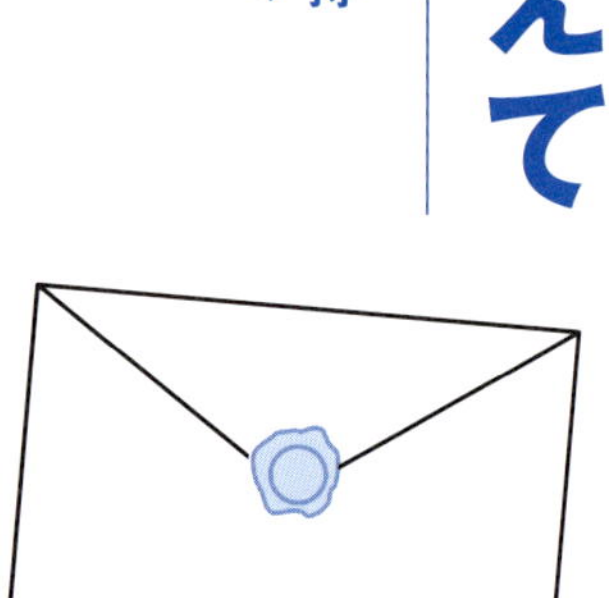

保存の方法はいろいろ。丸投げせずに、自分で仕分けを

遺品整理士として、相談者からよくこういう言葉をききます。「迷惑をかけたくないから、残ったものは適当に捨ててほしい」と言っていた、と。本人にしてみると、面倒をかけることは堪えられないと考えてのことですが、身内であれば、故人との思い出と想いの詰まった写真や手紙はゆっくり考える時間を作って向き合いたいものです。その考える時間も故人への供養になると常々伝えていますが、あまりに大量にあると負担になるのも事実です。イベントや旅行の写真は1イベントにつき数枚に絞る、年代ごとに1つのアルバムや箱に整理するなど、ある程度は仕分けておくとよいでしょう。

また今の時代は、デジタル化で保存するという方法もあります。写真やビデオ、手紙、年賀状、名刺、賞状などをきれいなままで保存し、見たい時に気軽に見ることができます。パソコンを扱える方はご自分でできる

でしょうが、もしできなければ、カメラ店などに問い合わせてみるといいでしょう。処分の前に子ども世代とも相談しながら、保存や処分をゆっくり時間をかけて進めましょう。

親兄弟のものであれば、保存しておきたいものです

お友達との旅行の
写真は減らしても
いいかしら。

家族づきあいでない
友人や知人の分は
住所録の代わりに
データにしておくほうが
よさそうね

プロからのアドバイス！

場所をとるアルバムも

写真はやっぱりとっておきたいということであれば、はがして箱や袋などに入れておくという方法もあります。その他カメラ店などでデジタル化にしてくれるのでそれを利用するのも良いでしょう。

コツ 11

「グルーピング」で仕分けて収納

子ども世代が巣立った後の家は、スペースに余裕ができて物が増えすぎてあふれがちです。そのことで実家を訪れた子ども世代と、衝突することも。ここでは物を処分せずにできるおすすめの片づけ方法を紹介します。

場面ごとに使う物を収納

子どもたちから「片づけて欲しい」と言われても、自分たちはいつか使う、そのうち役に立つと考えているからこそ買い求め、備えているのであり、なかなか踏ん切りがつかないことは多々あります。「どうせ使ってないでしょ」「もう要らないでしょ」と言われても、頑なになることも珍しくはありません。

そんな時は、一度に減らそうとするよりも、処分しないでまずは仕分けるのがおすすめです。

処分せずにできる片づけ術の一つに「グルーピング」というものがあります。それは予備の歯ブラシやシャンプー、新しい下着やタオルなどをまとめて「入院セット」のように、使う場面、使う場所ごとに物をひとつにまとめておく手法です。そうすることで物がごちゃごちゃしたり、出しっぱなしにならず、散らかることが防げます。他にも掃除セットや来客用のお茶セットなど様々な物がグループ分けできるのです。このグルーピングは普段の生活で知らず知らずのうちにやっていることも多く、**大切なのはグループ分けをしたらそのグループを崩さないようにすることです。**別のグループの道具を使った際は、もとのグループに戻す。こうすることで同じ物が増えたり、探す手間を省けて時間を無駄にすることもありません。また自ずと家の中もすっきりします。

目的別のグルーピング一覧

物は様々な用途でグループ分けができます。ここでは終活世代向けのグルーピング例を記載していますので、参考にしてみてください。

通院セット

- 診察券
- 介護保険証明書
- 高齢者医療証明書など

衣類（通院用）セット

- 着脱がしやすい上着
- トイレがしやすいズボン
- 採血する際に腕がめくりやすい上着など

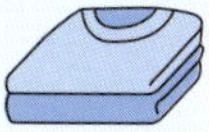

来客用セット

- お客様用のカップ
- コースター
- お皿
- お客様用のお茶菓子など

テーブルの上に置く物セット

- 眼鏡
- メモ用紙
- ペン
- ハサミなど

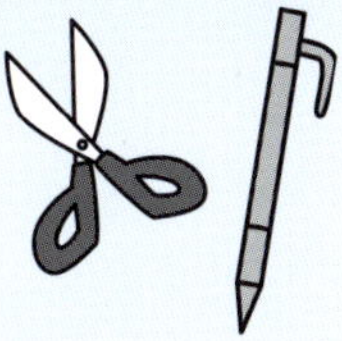

その他のグループ例

- 各季節のおでかけセット
- 冠婚葬祭セット
- 子・孫の帰省時のセット
- 大掃除セット
- 室内メンテナンスセット
- お菓子作り・そば打ちなど趣味のセット

プロからのアドバイス！

使わないものに踏ん切りをつける

グループに仕分けられないものは、そのまま使わない可能性が高いので、処分するか、一番に処分する候補としましょう。

さらに、仕分けたけれど一定の期間使わなかったグループのものを順次処分していくことで、しっかり納得したうえで整理を進められます。

コラム　遺品整理業者は、見つけられなかった大事な物を見つけてくれることもあります

遺品整理業者がしてくれることは、「要る物、要らない物をきちんと分けてくれる」「不要品は処分してくれる」「きれいに掃除してくれる」などいろいろ。故人へはもちろん、遺族への配慮も細やかで、依頼した遺族たちも大きな信頼を寄せ、満足感を得ます。

しかし、遺品整理業者に依頼するメリットはこの他にもあります。たとえば遺族が見つけられなかった大事な物を見つけて出してくれるというケースがよくあります。遺品整理士の中には、片づけを始める前に「何か探してほしいものはありますか?」と聞いてくれる人もいます。

また、すべての作業を終えた後で遺族から連絡があり、「引き上げた物の中に探してほしい物がある」と言われることもあります。そのような場面を何度も経験している業者の中には、そうなる可能性も踏まえて、少しの期間、処分せずに保管している場合もあります。遺品整理業者は、作業が終わったから終わりではなく、その後の遺族からの依頼にも応えられるように配慮を続けています。

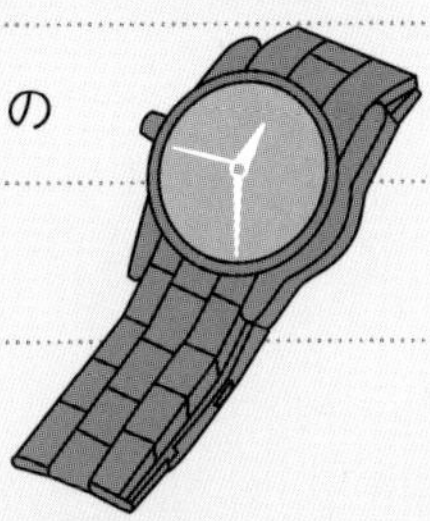

第3章

生前整理を進めるには何をすれば？

コツ 12

まずは動線を確認。そこから片づけを始めよう

断捨離のように思い切った片づけを開始する時、まずは、仕分けるものによって置く場所を決め、生活する空間や動線をしっかり確保しておきましょう。

まず最初に、することは

いざ、片づけを始めようとすると、どこから手をつけていいのかわからないかもしれません。過ごす時間が少なくスペースに余裕がある場所から始めると、片づけ始めて物が溢れて、身動きができなくなる、といった事態になりにくいでしょう。もちろん一番気になる場所から始めるのもありですが、廊下に物を置かない、ひと休みするする場所を確保しものを置かないなど、動線を確保することが肝心です。

そしてリビング、寝室、和室、キッチンなどの場所ごとに、「必要なもの」「不要なもの」「保留~どちらかわからないもの」を分けます。「不要なもの」を早めに処分すると、「必要なもの」「保留」の仕分けが楽になります。仕分け途中のものは段ボールに入れ、それぞれに「本」「衣類」「食器」など内容を描いたシールやメモを貼っておくと後で分かりやすいでしょう。

プロからのアドバイス！

プロが整理する時には

実際に遺品整理業者が片づけを行なうときダンボールを用意しますが、大体2LDKで30箱前後、一戸建てで50箱前後用意しています。それらのダンボールを使い細かく分別を行なっていきます。貴重品、重要書類、紙類、思い出の品等マジックなどで種類を書き込み分別していくと良いでしょう。

どこから片づけていこうか。考え始めた時から片づけは始まります

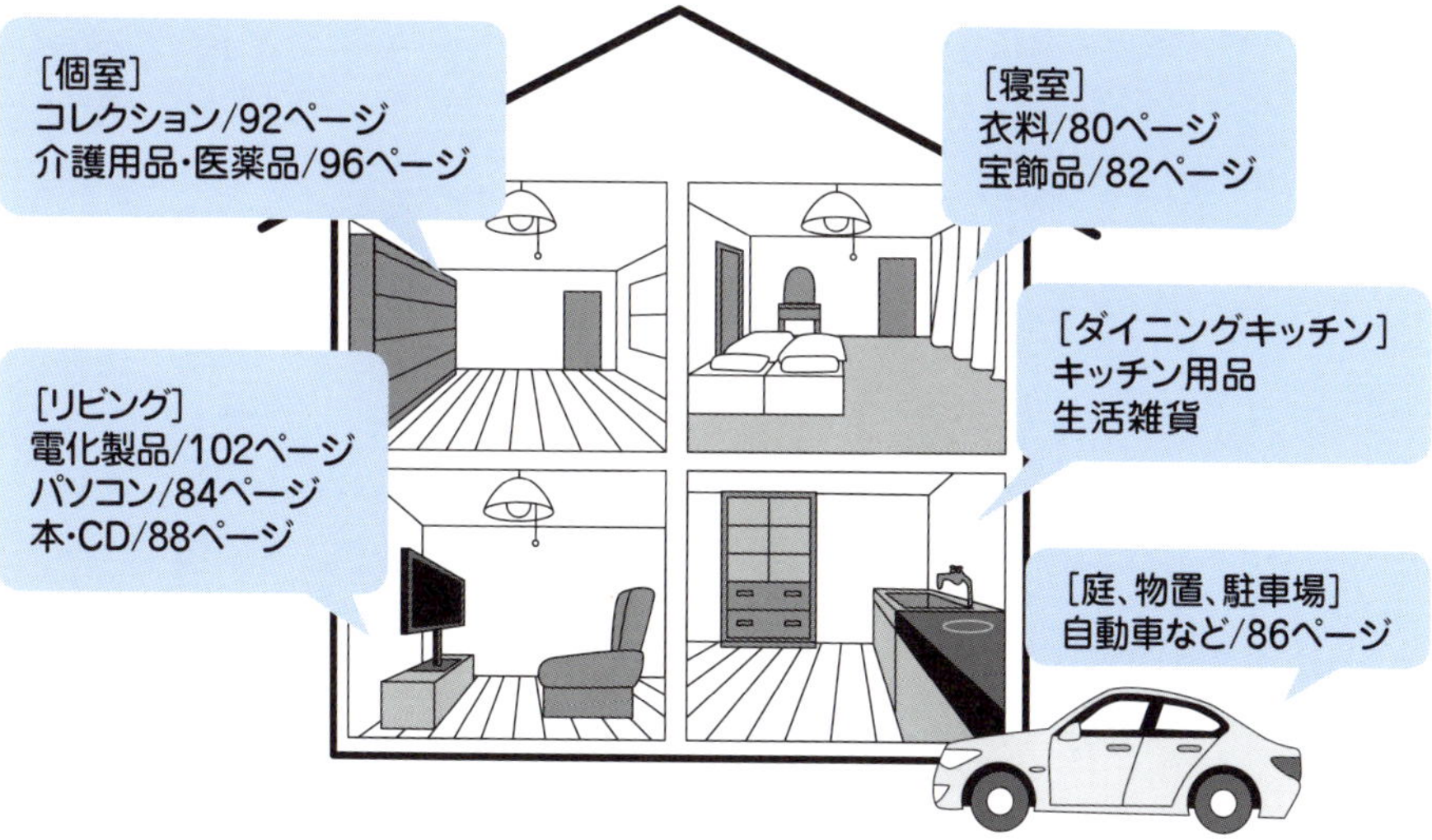

［個室］
コレクション/92ページ
介護用品・医薬品/96ページ
［寝室］
衣料/80ページ
宝飾品/82ページ
［ダイニングキッチン］
キッチン用品
生活雑貨
［リビング］
電化製品/102ページ
パソコン/84ページ
本・CD/88ページ
［庭、物置、駐車場］
自動車など/86ページ

Mさん 50代女性のエピソード

「父と母、ふたり暮らしだったのが、母が先に亡くなり、まるで後を追うように父が1年後に亡くなりました。私は弟と2人姉弟で、実家の片づけは弟と連絡を取り合って、二人で片づけました。といっても、4LDKの一軒家を隅々片づけ、掃除をするなどということは到底無理ですので、専門の業者に頼むことにしました。その前に、私たちふたりで大切なものを探し出し、あとの不要なものの処分を中心に頼むことにしました。2〜3日かけて大事なものを先に整理しましたが、母の鏡台の引き出しから母の学生時代の成績表が出てきました。母はとても謙虚な人で、自分の自慢話などほとんど聞いたことがありませんでしたが、成績表を見ると、母はかなり勉強が出来た子だったということがわかりました。そして父の机の引き出しの奥から出てきたのは古めかしい若い頃の母とのやりとり、つまりラブレターでした。父が書いたもの、それに母が返事したもの。それがきちんとなぜかセットになって。母が亡くなってから、父は母が持っていたラブレターを見つけ、それと自分が書いたものを重ねたようでした。父は昔から亭主関白な人で、私たち子どもから見て、時々母が可哀想に思ったものでした。でも、きっと母は幸せだったのだと思います。こうして最後まで父に愛されて。遺品整理というものは、その人の心の中までも見せてくれるものなのだと思いました。」

コツ 13

衣類の整理もグルーピングで仕分けを

洋服や着物というものはサイズも好みも人それぞれですので、残されてもなかなか引き取り手がありません。グルーピングで仕分けて、すっきりさせておきましょう。

着たい服や着物がある以外は「処分」

誰でも、衣類は「いつか着るかもしれない」と、なかなか捨てられずに、タンスや押し入れにしまい込んでしまうものです。実際、親が遺した衣服を見ると、その量に驚かされることも少なくはありません。

基本的に残された衣服は子どもたちが自分で着たいと思うものを引き取る以外、なかなか引き取り手がありません。親類や知人に引き取ってもらうにしても、クリーニングに出すなど結構労力もお金もかかってしまいます。そしてまだきれいで古臭くもなく、「これは捨てるのはもったいない」と思うものでも、大量に残されると処分に困るものです。そこでおすすめなのがグルーピングでの仕分け。

季節ごとの普段着やおしゃれ着やおでかけセット（バッグや靴、スカーフ等）、旅行や趣味のスポーツ用のセットなどに仕分けて収納します。特別思い入れの強い服やブランド物などは別枠で保管してもよいかもしれません。ポイントは新しい服を買ったら着なくなった服を処分して、増やさないこと。そして一定期間着なかったグループは順に処分することで、全体の量を減らしていきましょう。

「役に立てる」という方法も

衣料を一気に大量処分してしまうというのはいちばん簡単な方法ですが、誰かに着てほしい、少しでも役立てたい、という思いがある場合は、リサイクルショップに持ち込んだり、フリーマーケットに出すという方法もあります。

また、古い衣料を発展途上国の人々に役立ててもらうという活動をしている企業や自治体もありますので、インターネット検索や自治体などに問い合わせて確認してみるといいでしょう。

こんな方法があります

●方法1 一般ゴミとしてゴミの日に出す

●方法2 リサイクルショップ、フリーマーケットに出す

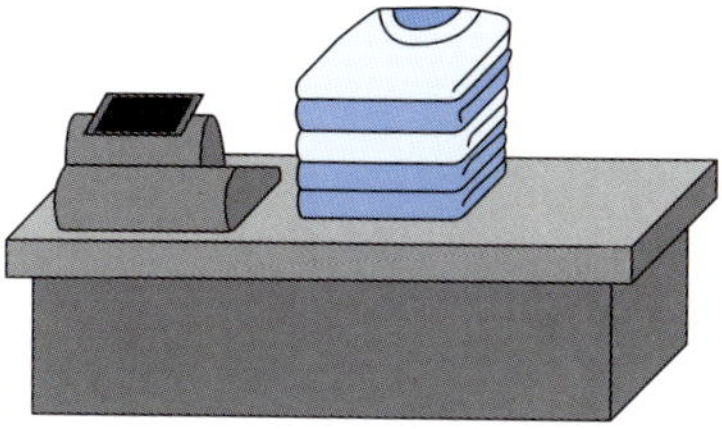

●方法3 海外に送って役立てる

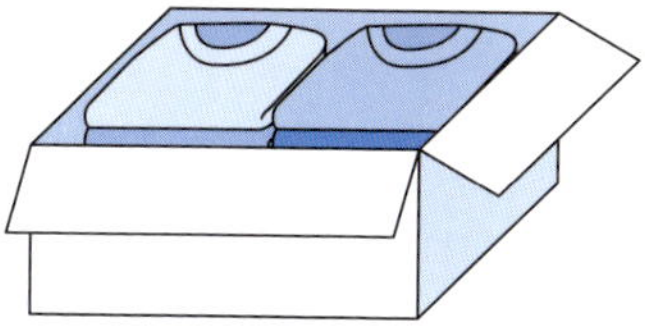

プロからのアドバイス！

仕分け時の写真を娘に見てもらう

いくら母娘であっても年代が違えば、好みも違うのも当たり前です。一方で年をとって改めて服を見ると意外に似合っていたりするものです。処分の前に仕分けた時の写真を送り、気になる服がないか見てもらうとよいのでは。

コツ 14

使わない宝飾品や貴金属は、査定に

ジュエリーや貴金属類も衣類と同じように、自分の好みがあるため、譲ってもそのまま身につけるというのもなかなか難しいもの。まずはどれほどの価値のあるものか、専門家に査定してもらうことをおすすめします。

3つの方法が考えられます

ジュエリーも衣類と同じように流行があり、人に譲るにしても若い人にはあまり喜ばれない傾向もあります。どうするかは、そのことも考慮して考えてみるといいでしょう。宝飾品や貴金属に関しては、**①そのまま譲る ②リフォームして譲る ③換金しておく**、だいたいこの3つの方法に分かれると考えてください。しかし、どの方法を選択するにしても、その宝飾品や貴金属がどれほどの価値があるか、まずは専門家に査定してもらうことをおすすめします。その価値によっては、相続問題に発展することもあり得ると考えてください。

また査定で価値がつかなくても、ジュエリーには持っていた人の思い出や想いがこもっているものです。譲る場合は相手の好みにデザインを変えられるリフォームという方法もありますので、その際は宝飾店に相談してみてください。リフォームすることで見違えるように素敵になったりしますし、二連のネックレスを一連にして2人に遺すといったこともできます。

思い出がこもったジュエリーの扱いは慎重に

子どもにとっては身につけているとお守りのような気分で安心感を得られる、ということもあるかもしれません。

プロからのアドバイス！

最初にちょっと知っておきたい知識

宝飾品や貴金属といっても、査定してもらってすべてが価値のあるものだとは限りません。

ジュエリーであれば、価値がつくのはダイヤモンドくらいで、それ以外のルビーやエメラルドなどの色石は驚くほど価値をつけません。

コツ 15

パソコンは法律に基づいてリサイクル

パソコンは個人情報等が入っていますので、遺品としてはなかなか処分が難しいものの一つです。現在、パソコンの処分は「資源有効利用促進法」に基づき、回収・リサイクルする仕組みとなっています。

データの漏洩のない安心の方法で

パソコンはデータがありますので、処分方法をきちんとしないと不安が残ります。自治体では回収・処分はしてくれず、平成13年から資源有効利用促進法に基づき、パソコンはメーカーによる回収・リサイクルが義務づけられるようになりました。回収して資源に戻るまでをパソコンメーカーが責任を持って行ってくれますので安心。回収されたパソコンは、国の指定を受けたパソコンメーカー指定の再資源化センターで、情報の漏洩を防ぐためにハードディスクを破壊し、金属などの資源に戻されます。データを残したい場合は、保存用メディアにバックアップをとっておきましょう。

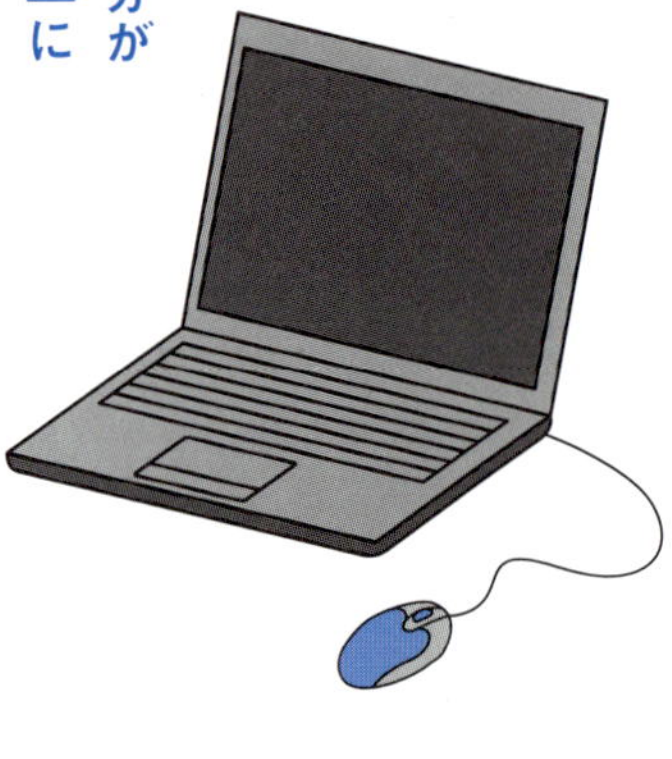

回収・リサイクル料金については

PCリサイクルマークがついているパソコンは、新たに回収・リサイクル料金負担の必要がありませんが、マークの付いていないパソコンは、排出時に料金が必要となります。

※詳しくは

有限責任中間法人 パソコン3R推進センター

http://www.pc3r.jp/home.html

パソコンに関するリサイクル対象品と対象外を確認してください

リサイクル対象品

- デスクトップパソコン
- ノートパソコン
- ディスプレイ一体型パソコン

リサイクル対象外

- キーボード
- マウス
- プリンター

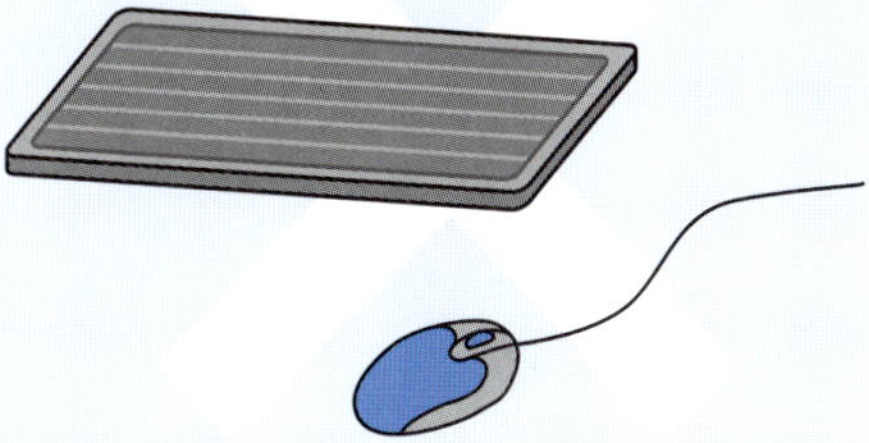

※これらは自治体のゴミ収集日に出すことができますので、分別の仕方や出し方等は出す前に確認してください。

プロからのアドバイス！

パソコンの処理についての注意点

パソコン処理が面倒だからといって不確かな廃品業者にリサイクルを依頼するのはちょっと待ってください。海外に転売されてデータを復元され、悪用されるケースも多発していますので注意してください。

コツ 16

車やバイクは相続か廃車か決める

使っていた車やバイクが残された場合、引き継いで乗るのか、廃車にするのかをまず決め、もし廃車にするのであれば、必要書類等を揃えて、車の買取業者等に引き取ってもらうことになります。

揃える物や手続きが大変

車の所有者が亡くなった時、車を廃車処分または誰かに譲渡する場合でも、まず**自動車を相続する手続き**を行います。廃車にする場合は、この他の方法として、車の買い取り業者に買取、または引き取ってもらって、相続等の手続きも含めて必要な手続きをやってもらうのが簡単です。

原付バイクについては、誰かに譲渡や売却する場合も、一度原付バイクを廃車処理をすることが必要です。原付バイクの廃車手続きは、ナンバープレートを管轄する市役所等の市区町村の役所で行います。

身内が生前に乗っていた車を廃車にする場合、長い間故人の足として頑張ってくれた車に感謝を示して、洗車や掃除をしてあげるようアドバイスしています。また車についていたお守りなどはゴミとして捨てにくく、神社に持って行って返納することが供養となります。とはいえ実際は片づけが目いっぱいで、余裕はないかもしれませんので、普段からきれいにして、あまり物を置かないようにしましょう。

車を相続する場合には必要なものがいろいろあります

車の相続手続きに必要なもの

- 遺産分割協議書
- 戸籍謄本
- 印鑑証明書
- 住民票

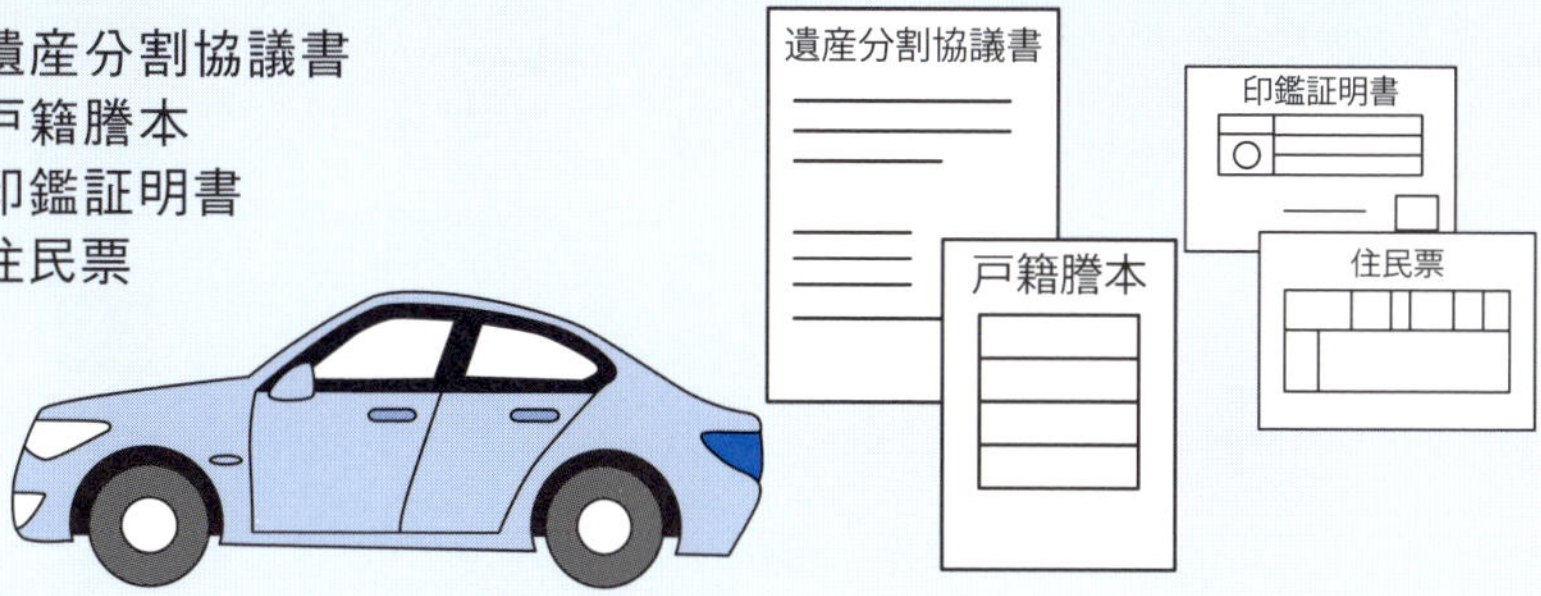

原付バイクの相続手続き（廃車）に必要なもの

- 廃車申告書
- 標識交付証明書
- ナンバープレート
- 印鑑（認印）

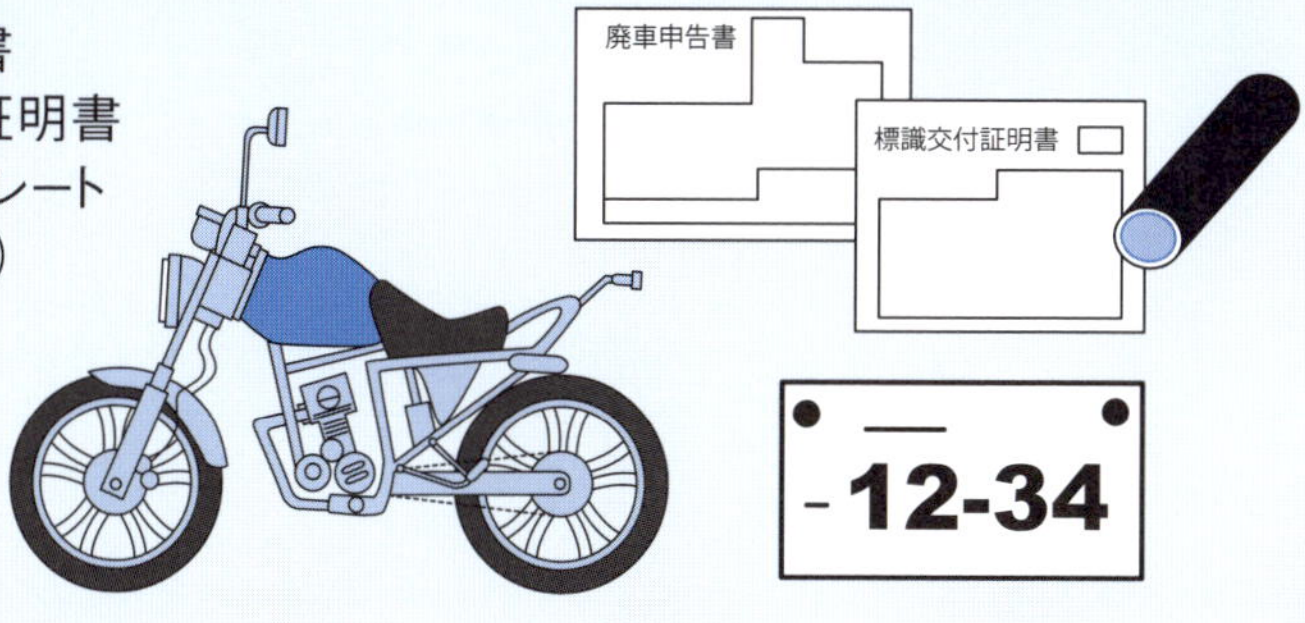

プロからのアドバイス！

原付バイクを単に処分したい場合

大手バイク買取業者に問い合わせてみるのも一つの方法です。向こうからバイクを引き取りに来てくれますし、手続き等もすべてやってもらえるので、とても便利でラクなのでオススメです。

コツ 17

本やCDは新古書店に問い合わせてみよう

本や音楽が好きな人は多くの本やCDを所有しており、そのまま残されると、家族はその処理に大変な思いをすることも。今から納得がいくように仕分けて、少しずつでも減らしておくとよいでしょう。

大量の場合は、自宅まで引き取りにきてくれる業者を調べて

遺品の中で意外と多いのが衣類と本です。本はかさばると重くて、ちょっと片づけようと思うだけで重労働ですし、その本の種類や状態によって処理に頭を悩ませてしまう遺品の一つです。もちろん、そのような本をまとめて引き取ってくれる業者もありますので、一切合切まとめて処理したいとなれば、そのような業者を調べて利用することがいちばん簡単でしょう。

その際には値段のつかないものを無料で引き取ってくれる業者もありますし、1冊ずつ査定して換金してくれる業者もあります。本やCDの状態を見て、**引き取ってもらう先を検討**することをおすすめします。その際にも役立つのがグルーピングによる仕分け。価値をきちんとわかっている所有者自身が仕分けることで、悔いのない形で遺すことができます。

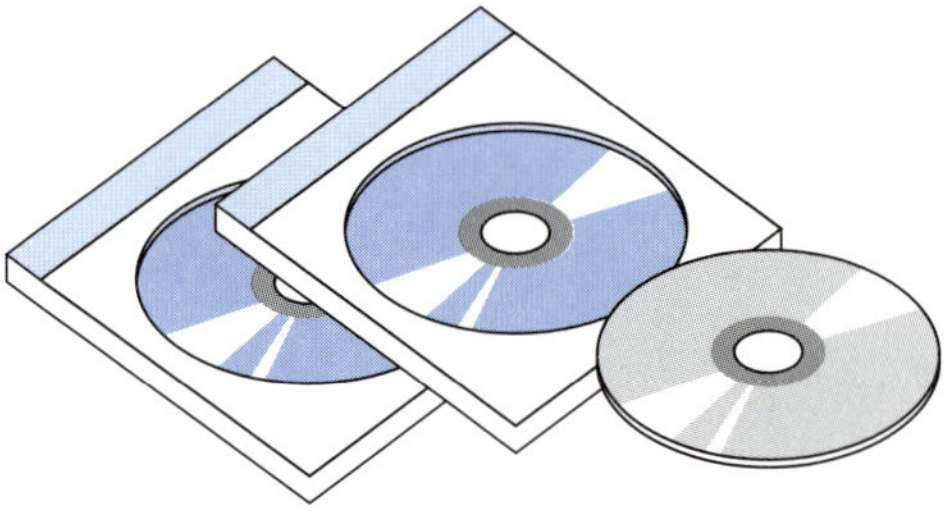

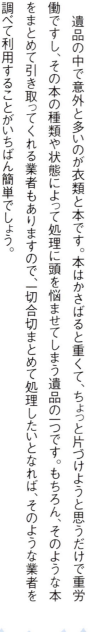

本は一冊一冊をチェックするのも大変な作業です

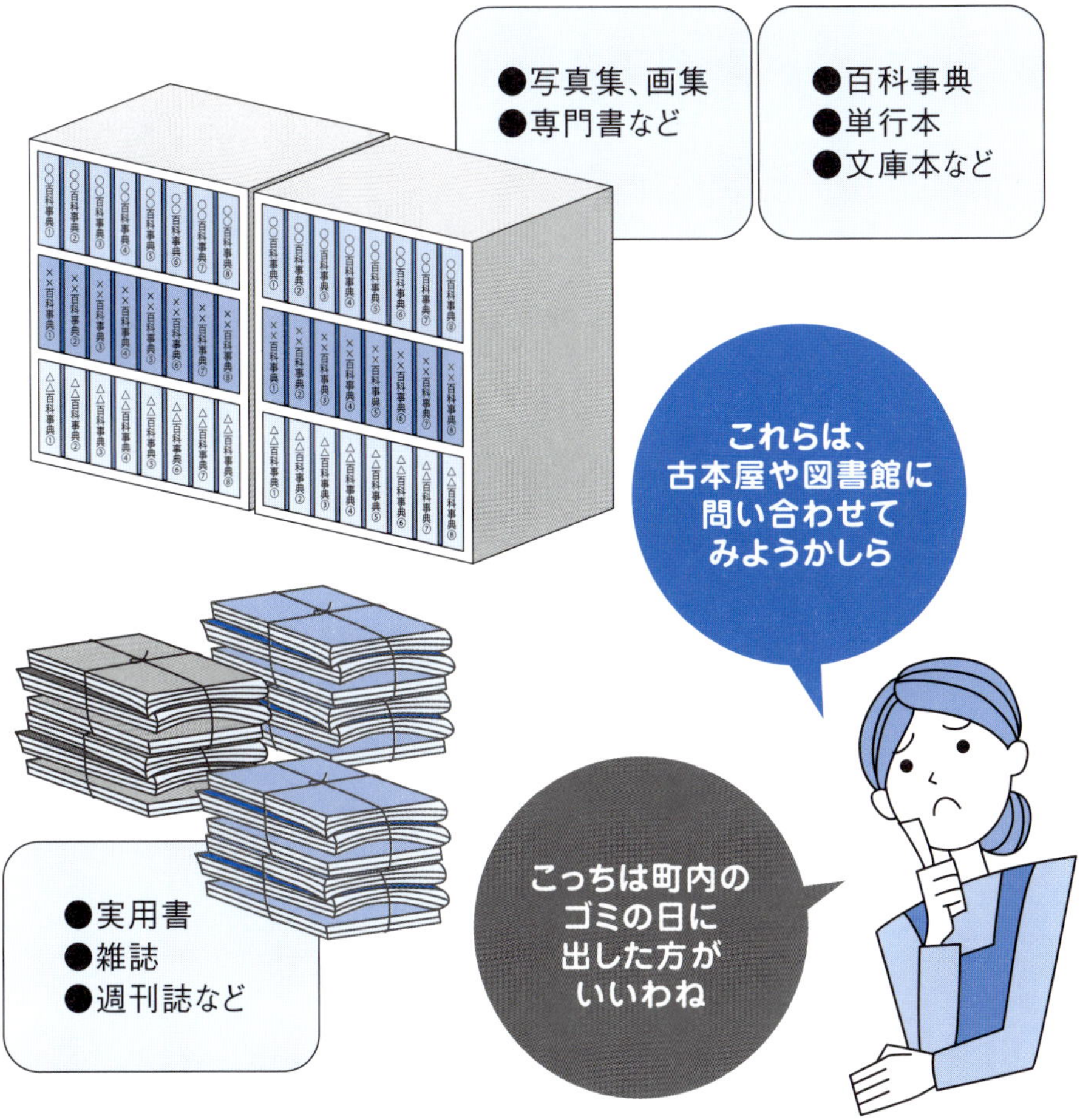
●写真集、画集
●専門書など
●百科事典
●単行本
●文庫本など
これらは、古本屋や図書館に問い合わせてみようかしら
●実用書
●雑誌
●週刊誌など
こっちは町内のゴミの日に出した方がいいわね

プロからのアドバイス!

社会貢献として図書館に寄贈という方法もある

たとえば今まで大事にしていた本やCDを少しでも社会の役に立てたいと思えば、地域の公共図書館や児童会館などに問い合わせ、どんな本やCDであるかを伝え、必要かどうかを確認してみるのもいいでしょう。

コツ 18

人形やぬいぐるみは供養してもらうことを考えたい

人形やぬいぐるみは小さくて、重さもそれほど気にならないので、処分しようと思うと簡単そうです。しかし、意外と頭を悩ます品の一つです。なぜ、処分に困るのか。そしてその対処法を考えてみましょう。

人形供養をしてもらうことが、いちばんいいかもしれません

単純に飾りとして置いてあった人形であれば、それほど深く考えることはないかもしれませんが、自治体のルールに従って、簡単にゴミとして出すことは可能です。ところが遺品の中に故人が大切にしていた人形やぬいぐるみがあると、気持ち的に粗末には扱えません。

人形やぬいぐるみには故人の思いや思い出が詰まっていることが多く、遺品整理を専門に行っている業者がいちばん処理に困るものとして挙げるのも、実際、この人形とぬいぐるみだといいます。「大事にしていた人形だから粗末に捨てたくない」、「魂が宿っているかもしれない」「もしゴミとして捨てて、後で罰があたったら怖い」と思われて、やはり費用がかかったとしても人形供養をしてもらうという方も少なくないようです。遺すつもりのない人形やぬいぐるみが手元にあるなら、先に処分をしておくと助かるかもしれません。人形供養をし

てくれる神社や施設はいろいろありますので、まずは調べてみてください。懇意にしているお寺があれば、人形供養をしてくれるかをまずは聞いてみてください。

人形供養についてはお寺や神社に聞いてみましょう

人形には、
思い出や思い入れが
詰まっているからこそ、
自身で納得いく処分を
もしゴミとして出す場合は、
キレイな袋に入れるか、
塩を入れて清めることを
おすすめします

Sさん 80代男性のエピソード

「ひとり娘を20年ほど前に亡くしました。娘のぬくもりを失うのが怖くて、娘が弾いていたピアノはリビングにおいたままで、自宅にある部屋も当時のままにしてありました。毎日のように娘の部屋を訪ねては娘と会話することが慰めでもあったのです。ところが、妻が認知症になり、日課だった娘との思い出話もできなくなり、今後のことも考えて娘の遺品整理をすることにしました。大切なひとり娘の遺品ですから、たくさんの思い出がこみ上げてきて仕分けするのも時間がかかりました。一つひとつ丁寧に箱詰めして、地元の遺品整理士の方に処分をお願いしました。遺品整理士さんは、とても誠実に対応してくださったのが印象的でした。それから1年も経たずに妻も他界。そして、また妻の遺品を箱に詰めて、あのときの遺品整理士さんに処分をお願いしました。たくさんものがありましたので、半年ほどかけて何度も足を運んでもらいました。そんな事情を知る遺品整理士さんが、ひとり暮らしになって不便はしてないかと気にかけてくださり時折連絡をくれるのです。さみしい気持ちが和らぎ、心から感謝しています。ただ一つ心残りがあります。それはわたしの死後の遺品整理です。そのためエンディングノートを残すことにしました。わたしの死後、あの遺品整理士さんに処分してほしいと書き記し、遺品整理士さんも快諾してくれました。遺品整理を通じて、人と出会い、心の交流ができたのは、娘と妻からの贈り物なのではないかと、いまは思います。」

コツ 19

コレクションは専門店に査定してもらおう

コレクションとひと口で言っても、ゴミとしかならないものから骨董品としての価値を持つものもあります。判断に困るようなものは、専門家に査定してもらうことをおすすめします。

コレクションによって違う、対処の方法

コレクションは素人目ではなかなかその価値がわからないものですが、わからないからと言って、長い年月をかけて集め、大切にしていたものをゴミとして処理されてしまうのは切ないものですし、身内としても心苦しく、実は価値があったのではと後悔が残るかもしれません。ご自身が集めたものであれば、その価値や売り先の専門店をよく知っているでしょうから、処分しない場合はそうした情報を残しておきましょう。

一方、元から家にあったものや他界した家族のものだと、判断に困ることもあると思います。誰がみても一見して「これはただのゴミ」と思うようなものに意外と価値があったということもよくある話です。絵画や掛軸、または切手やコインなど、それなりに価値が見出せそうな場合は、**そのジャンルの専門店に問い合わせ**てみることをおすすめします。ほとんど価値がないというものであれば、リサイクルショップに買い取ってもらうか、またはネットオークションに出品してみるという方法もあります。

コレクションは人それぞれの趣味趣向で異なり、遺品整理をしている段階で故人の意外な趣味が発覚してしまい、片づけている身内がショックを受けたりというケースもあります。思い入れがあるものは、納得のいく形で扱われるように備えましょう。

このようなコレクションがあれば、専門店に問い合わせてみてください

紙もの

- 切手
- パンフレット
- 古葉書
- 絵葉書
- 古銭
- ポスター
- 地図など

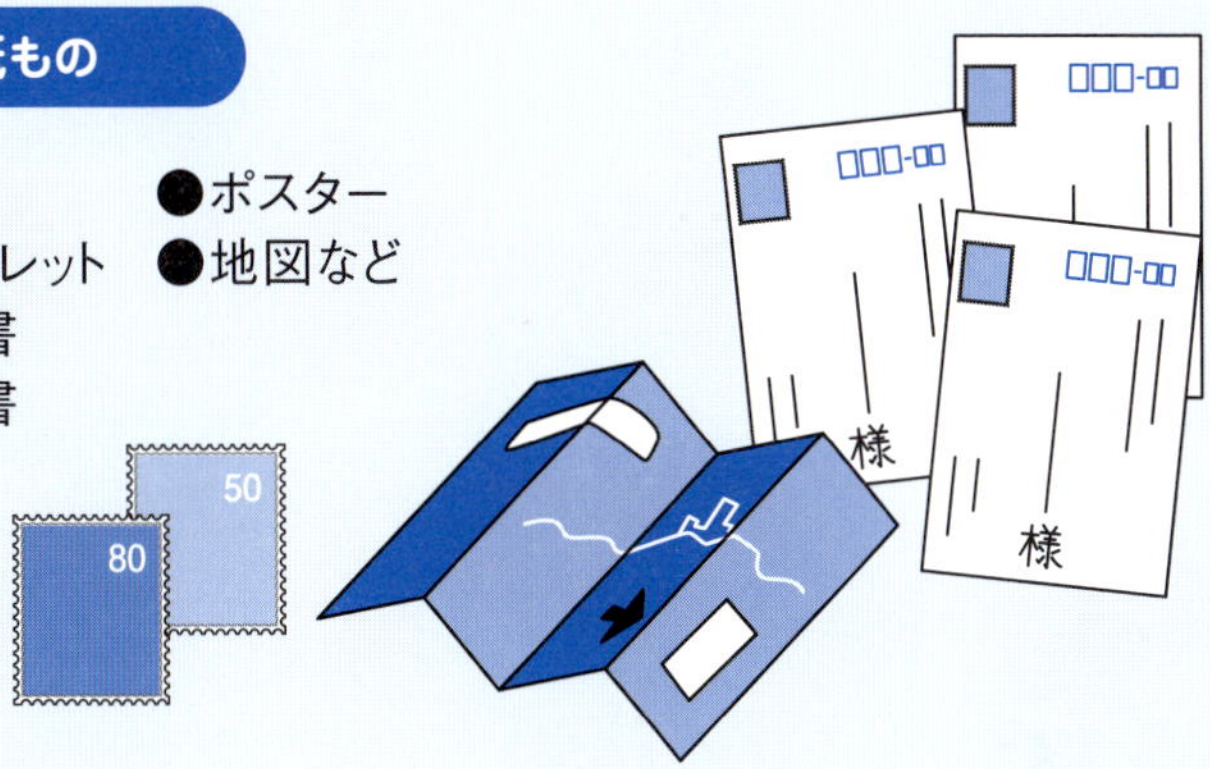

骨董品・古美術品

- 大判
- 小判
- 金貨
- 掛軸
- 仏画
- 日本画
- 洋画
- 版画
- リトグラフ
- 屏風
- 茶道具
- 甲冑
- 鎧兜
- 刀剣
- 鉄瓶
- 印籠
- 麻雀牌
- 碁盤
- 碁石
- 茶器
- 尺八
- 琴
- 三味線
- 書道道具
- 印材
- 市松人形
- 古陶磁器
- 中国美術品
- ブロンズ
- 象牙製品
- 珊瑚置物
- 仏像
- 彫刻品
- 西洋陶磁器
- 金銀工芸品
- 銅器など

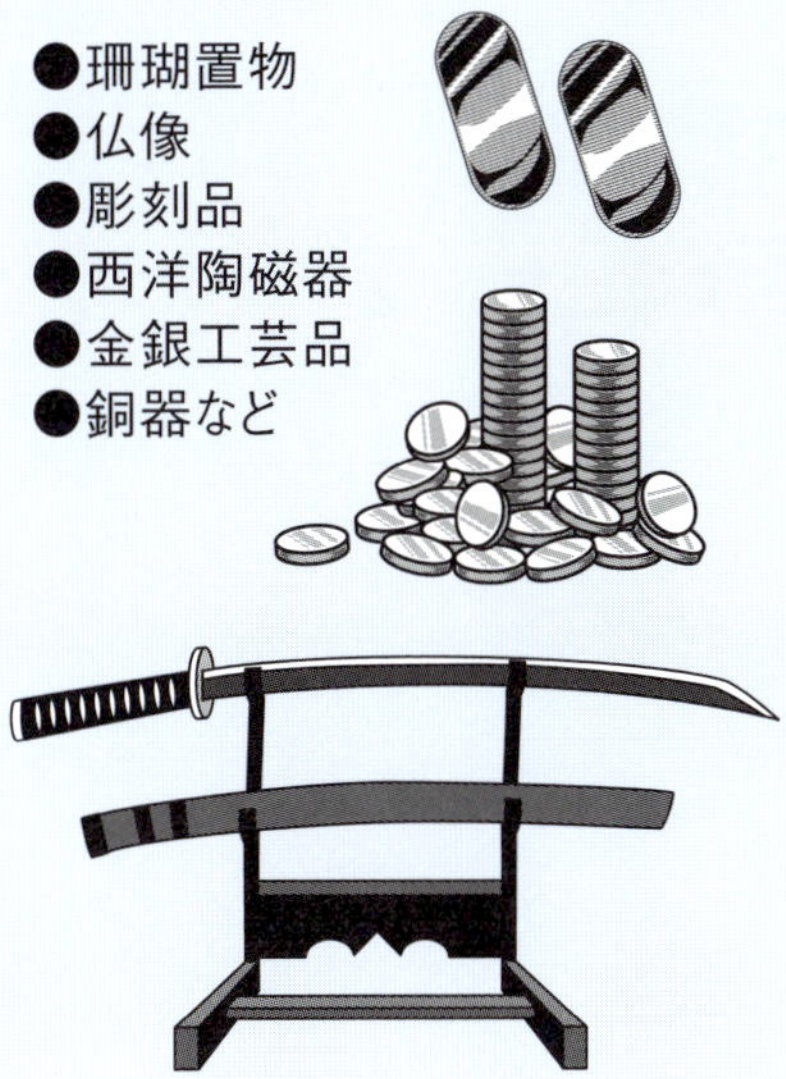

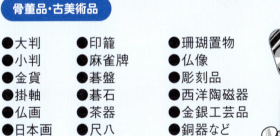

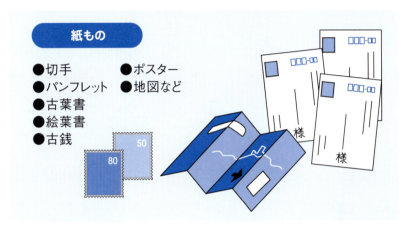

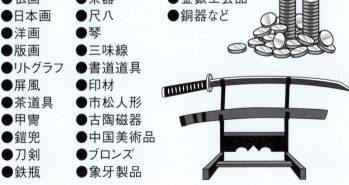

専門店に問い合わせてみてください

古玩具

- フィギュア
- ブリキ
- ミニカー
- 企業キャラクター物
- プラモデル
- お菓子のおまけなど

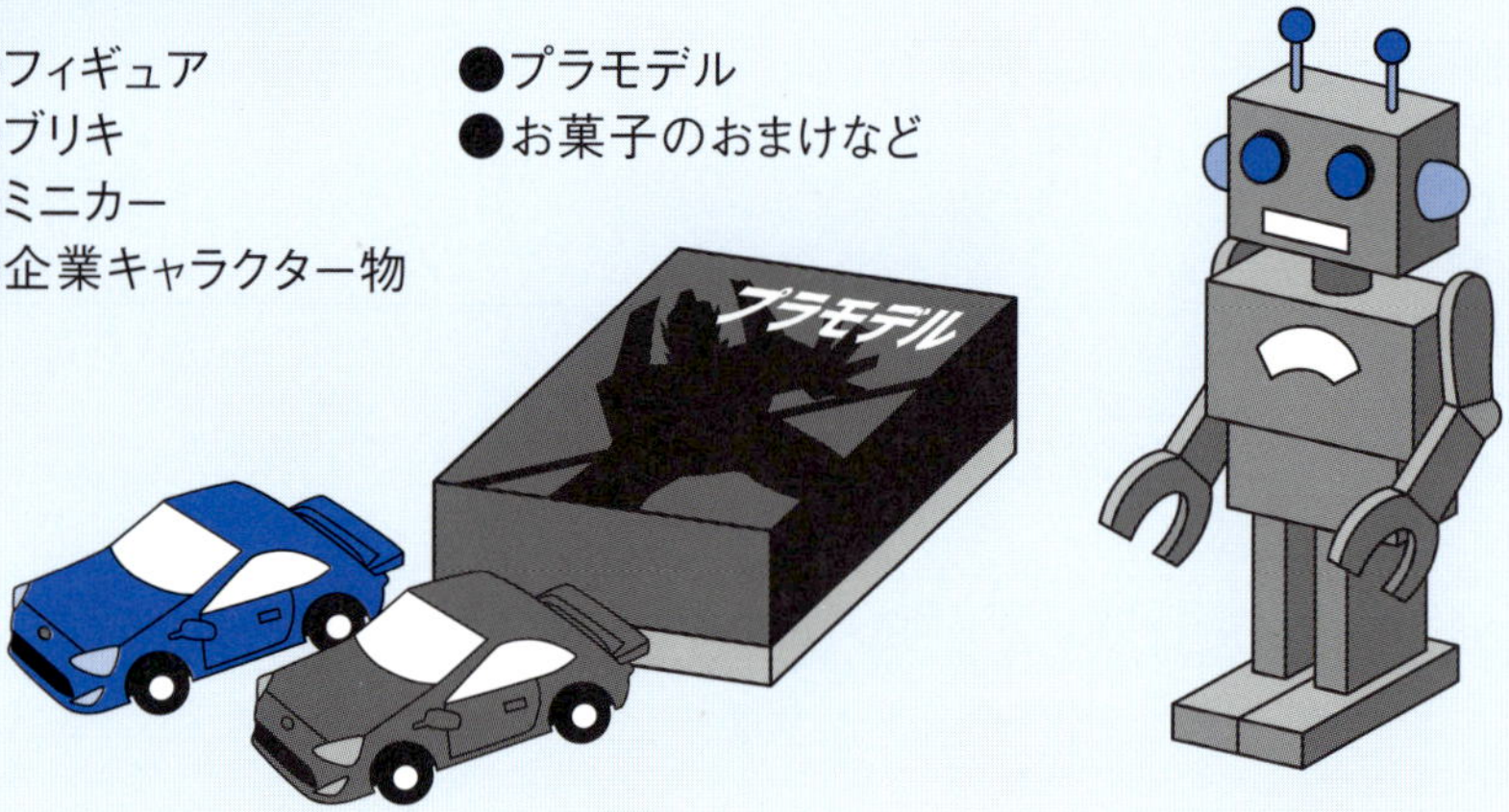

作家もの

- 彫刻
- 茶道具
- 工芸
- 日本画
- 洋画
- 中国画など

このようなコレクションがあれば、

ガラス工芸

- 時代ガラス
- 古いガラス製品
- 切子
- 食器
- 花瓶
- 電気の笠
- ランプシェード
- マイセン
- バカラなど

その他

- 楽器
- 工具
- レコード
- ブランド時計
- 懐中時計
- 大工道具
- 釣具
- 洋酒など

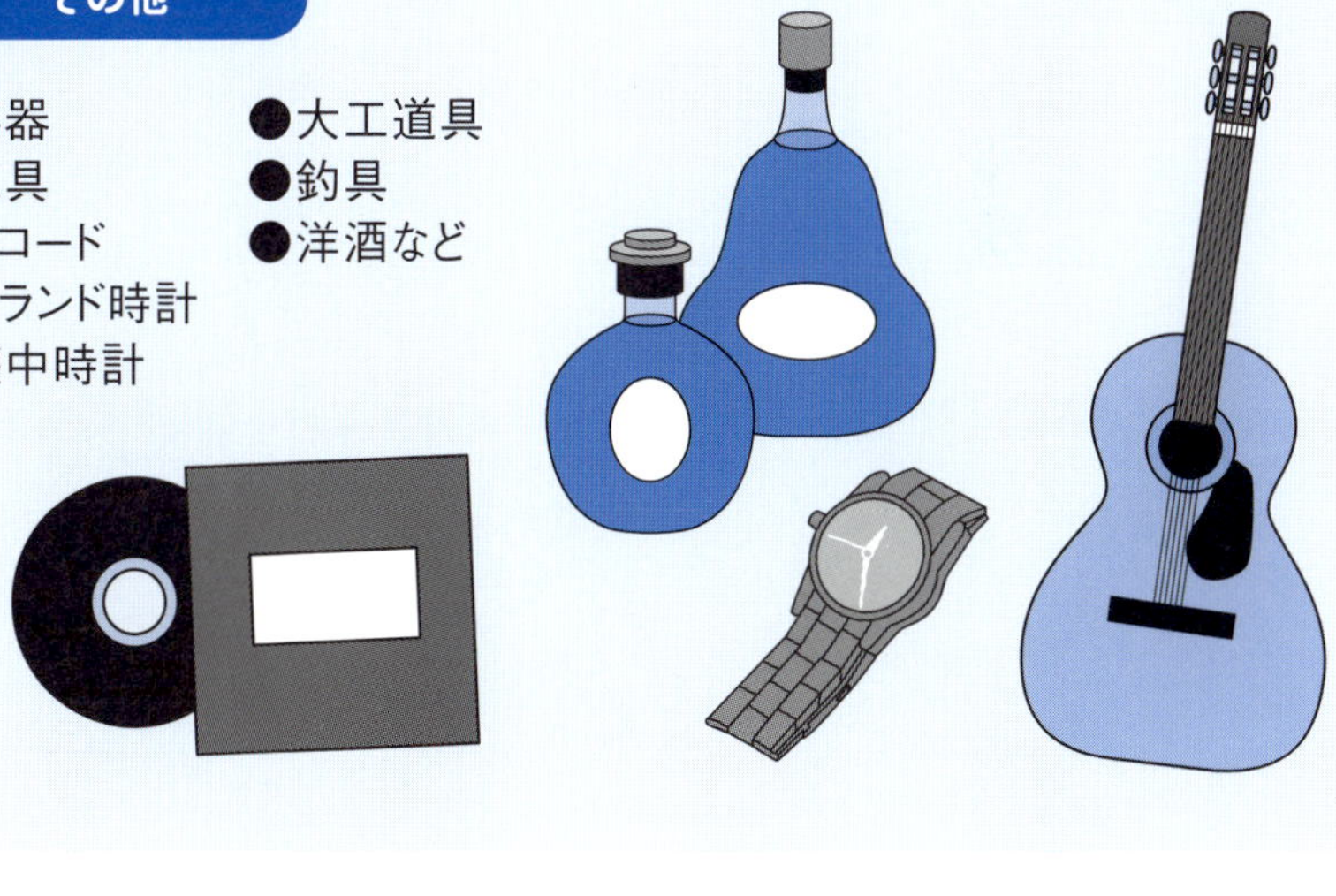

コツ 20

医薬品やリハビリ用品は情報をまとめる

薬も残されるとなかなか処分が難しいものの一つです。かかりつけの病院からもらっていたものか、市販の薬かによってもその処分の方法が違います。リハビリ用品などをレンタルする場合もありますので、わかりやすく管理しましょう。

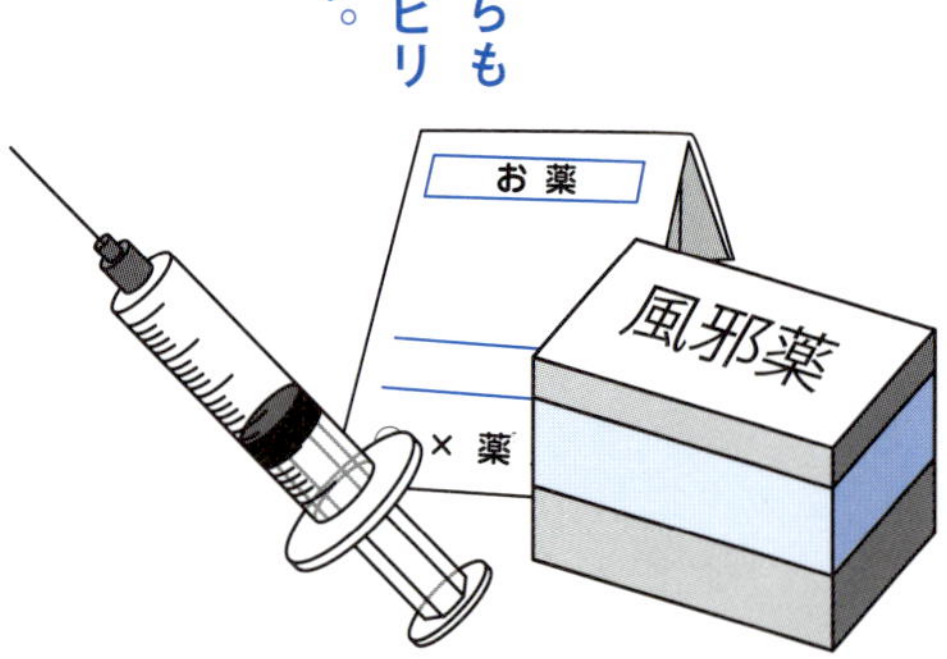

病院からもらった薬は、その病院に問い合わせて

市販の薬であれば、未開封で使用期限内であれば使ってもらえますが、開封されているものは、「薬」ということで廃棄します。

一方で病院から処方された薬に関しては、その**病院に問い合わせて、その処理方法を確認することになります**。そのまま廃棄してかまわない薬もありますが、劇薬に相当する強い薬もあり、病院に返却することを指示されることもあるでしょう。

かかりつけの医者や通院している病院・主治医の情報・お薬手帳などをまとめておくとよいでしょう。急な入院などにも役立ちます。

リハビリ用品などのレンタル時は、返却の手順を確認

歩行器や車イス、ベッドなどをレンタルするならば、不要になった時にスムーズに契約業者に確認して**解約・返却**することが必要となります。購入したものか、レンタル品か、レンタルの場合の返却方法などを整理しておきましょう。

市販薬

末開封で使用期限が大丈夫な場合に限り、持って帰るか、人に譲ることを考えてもいいでしょう

処方薬

病院で処方された薬は、その病院に処理方法の確認を

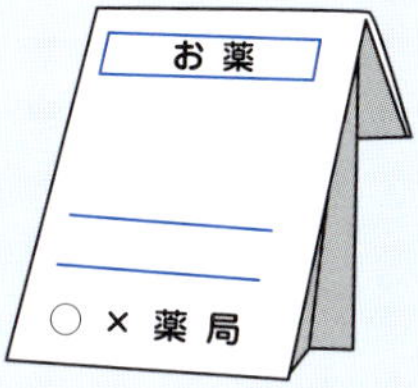

ベッド

レンタル品の場合は業者に引き取ってもらいましょう。本人のものであれば、リサイクルという方法も

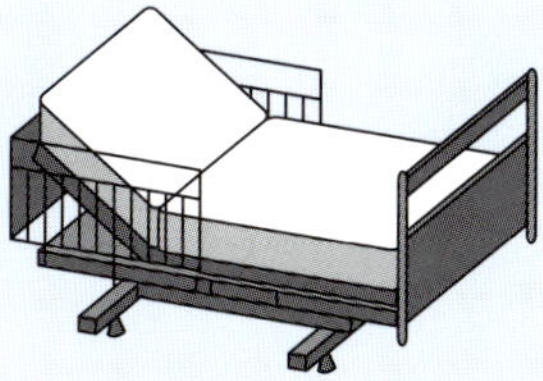

プロからのアドバイス！

注射器の処理は慎重に

糖尿病の方が治療のために自分でインスリンを打っていた場合、使用済の注射器などは、特別管理一般廃棄物に区分されるのでやはり病院に確認することをおすすめします。

コツ 21

意外と価値がある物の処理のコツ

遺品の中には、意外なところから、意外に価値がある物が出てくることがあります。生前整理でもこれを知っているのと知らないのでは大違い。知っておくと便利で、得をするかもしれないという物をいくつかお知らせします。

身近な所にある、金・銀・プラチナをチェック

こんな話を聞くと驚かれるかもしれませんが、故人がしていた金歯にも価値はあります。本人以外、そんな金歯は気づくことは少なく、納棺師の方が気づいて教えてくれたという話もよくあります。純度の高い金歯をされている方もいるようで、その時の**金の相場によって高い価値**がつきます。同じように、金縁のメガネにも価値があることもあります。またいろいろなジャンルの大会における優勝カップには銀が使われていることも多く、もしそのような物があれば、ぜひ専門業者に査定してもらうことをおすすめしています。そのほか刻印がなくても、「これは金かもしれない、銀、プラチナかもしれない」と思えば、**前もって査定**してもらうとよいかもしれません。

また、仏像や仏壇の中にある、あのチーンと鳴らすお鈴や蝋燭立て、線香立ても銀製品の場合があります。仏具を売るのは、「バチが当たるんじゃないだろうか」と思われる方は、まずはお寺で「魂抜き」をしてから行う

といいでしょう。

父母の代から受け継いだ仏具などをおカネに替えるのは気がひけると考える方もいるかもしれませんが、子ども世代が引き取れずゴミとして処理してしまう可能性もあります。査定だけでもしておくほうがいい供養になると考えるべきでしょう。

このようなものは査定しておきましょう

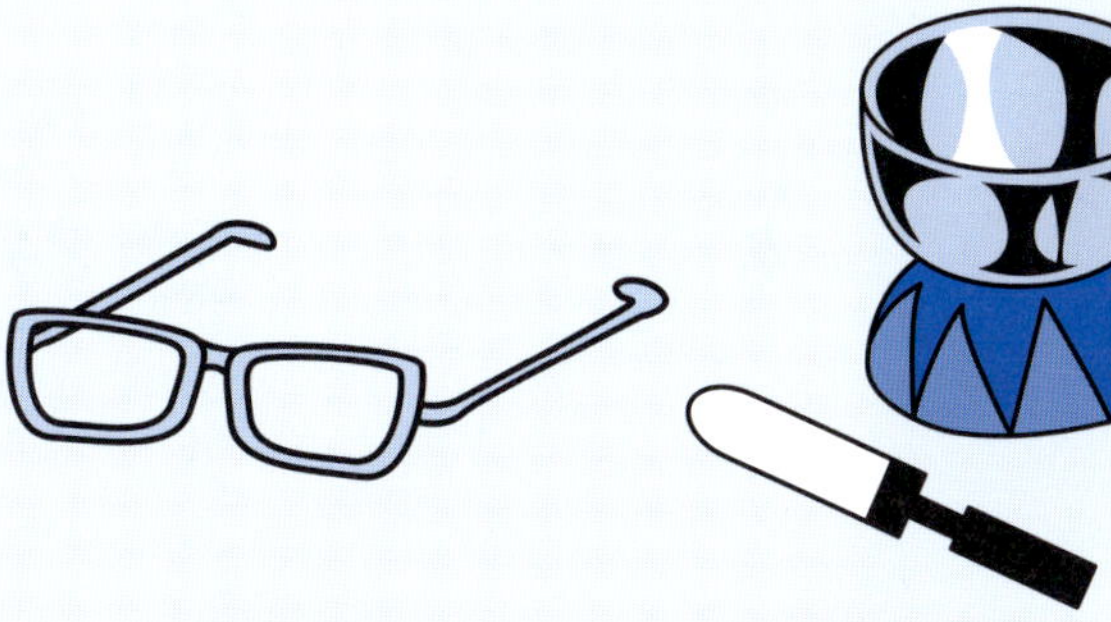

●金縁メガネ　●仏壇のお鈴

この他にも金歯や線香立て、優勝カップなどにも価値のつく場合があります

裏面に金属の純度を表す刻印がある物もあります
SV900

プロからのアドバイス！

刻印がないか、まずは裏を見てみよう

金や銀、プラチナではないかと思ったものは、ぜひ、その物の裏に刻印があるかどうかを確かめてください。もし何もついていない時も、一度は専門業者に確かめることをおすすめします。

コツ
22

お寺や仏具店に頼みたい、仏壇や神棚の処理

親世代から受け継いだ家にだいたいあるのが仏壇や神棚。これは、本やベッドなどを処理するのとは、やはり訳が違います。各家により宗派も違いますし、各自の信仰心も違いますので一概にいえませんが、少し慎重に考えましょう。

わからないときはお寺や神社に聞きましょう

年配の方であれば、毎朝、仏壇や神棚に水やお茶を供え、手を合わせる習慣を持っていた人も多いでしょう。それらに魂が宿るか否かはわかりませんが、そのように毎日手を合わせていたものは、やはり簡単にゴミとして捨てるということは考えたくないものです。まずは子ども世代や兄弟姉妹にその仏壇や神棚を引き取る意思があるかということを考えて、できれば相談してみてください。家を継ぐ立場の長男であれば、先祖の位牌の入った仏壇を引き継ぐということも考えられるでしょうが、引き取る親族がいなければ、処理をする方法しかないかもしれません。

前もって処分する場合はどこかのお寺の檀家であれば、まずはその**お寺に聞いてみる**ことです。特に決まったお寺がない場合は、近くにあるお寺か、電話帳で調べた所に聞いてみることをおすすめします。回収業者が粗大ゴミとして引き取って処分してくれるところもありますし、仏壇店の中には、引き取ってくれる店もあります。

父母や自分たちが毎日手を合わせ、家族の健康や幸せをお願いしていたものです。守っていてくれた御先祖様や神様などをどうしたらいいか。やはり聞くべき場所に聞いてきちんと処理してもらうことをおすすめします。

信仰心に関係なく、仏壇・神棚の処理は大切に考えたいものです

イラストにもあるように、仏壇などに手を合わせ仏花を供えるのが日課になっている方もいます。気持ちがこもっていますので適切な処理をしましょう。

プロからのアドバイス！

供養して処分してもらうには費用がかかる

お寺や仏具店に処分をお願いするとなった際には、供養をしてくれた後に処分となりますので、費用がかかります。どれくらいの費用がかかるのか、問い合わせをした段階できちんと聞いておくことをおすすめします。

コツ 23

大型家具や家電の処理方法

大家族で住んでいた家には、使わなくなった大型家具や2台目、3台目の冷蔵庫やテレビなどが意外と多くあるもの。適切に処理する必要があり手間はかかりますが、なるべく減らしておきましょう。

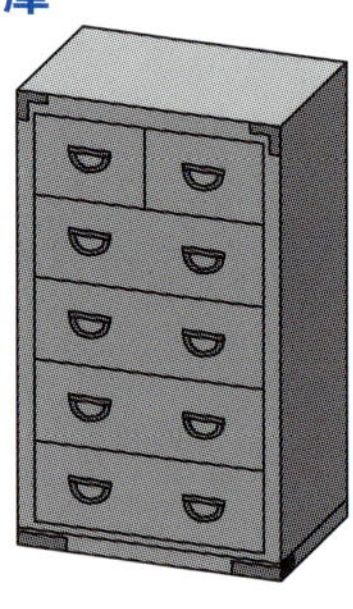

家具は処分方法を選択、家電はリサイクル法の順守を

小さな家具はゴミ回収の日に出したり、粗大ゴミに申し込めば問題ありませんが、大きな家具となると動かすだけでも大変です。処分は大きく分けて①「リサイクルショップへの売却」、②「ゴミとして出す」、③「有料で回収業者に依頼する」の3つとなります。ゴミとして出す場合は、**回収場所に出すために組み立て式のものを解体したり、のこぎりで細かくする**など、年配の方には負担が大きいので、**売却や回収業者への依頼を検討**した方がいいかもしれません。

家電のうち、テレビなどのリサイクル家電対象品(その11参照)は「家電リサイクル法」の対象で廃棄する場合は**販売店**に問い合わせるほか、**自治体**や**回収業者**に連絡してください。ほか携帯電話などを対象とした「**小型家電リサイクル法**」の対象商品の回収方法については自治体に問い合わせましょう。

小型家電リサイクル法の対象

- 携帯電話(スマートフォン)
- デジタルカメラ
- ゲーム機
- 時計
- 炊飯器
- 電子レンジ
- ドライヤー
- 扇風機など

【比較検証】リサイクルショップ、粗大ゴミ、回収業者

リサイクルショップ

メリット

- 家まで査定に来てくれる
- 「買い取ってくれる」可能性がある

デメリット

- 買い取りができない場合は、引き取ってもらうために料金がかかる

自治体のゴミ収集日に出す／粗大ゴミとして出す

メリット

- 3つの方法の中でいちばん料金がかからない
- 小さくして一般ゴミに出せた場合は、料金はかからない

※自治体によってはゴミ袋が有料

デメリット

- 重いものも外まで出さなくてはいけない
- ノコギリなどで細かくする場合、労力がかかる
- ゴミ収集日が決まっているので、都合のいい日に出せない
- 粗大ゴミは申込、指定の日に出す必要がある

回収業者に頼む

メリット

- 家に来てくれて、そのまま持っていってくれる

デメリット

- 家具一つひとつの回収料金が違う。たくさんあると結構な出費になる

プロからのアドバイス！

壊れた家電が売れることも

壊れてしまい込んでいた家電も修理が容易な場合や、アンティークとしての価値があるとして売れる場合があります。引き取りにお金がかかると思えば専門店にお願いしたり、フリマサイトなどで売却を試してみてはいかがでしょうか。

コツ
24

価値のあるものはリユースする

状態のいいものはリユース（再利用）がおすすめ。リサイクル業者を利用し、価値があると判断された不用品は買い取ってもらいましょう。思わぬ値がついて得をすることもあります。

リサイクルショップを上手に活用しましょう

使わなくなったものの中でも、タンスや食器など、まだ捨てるにはもったいないと思えるものは、リサイクルショップに問い合わせてみてください。リサイクル業者を選択するメリットは、不用品を買い取ってくれることです。捨てなければいけないと思っていたもので思わぬ得をすることもあるかもしれません。

自分で持ち込めるだけの量なら問題ありませんが、もし大量にある場合は、業者に直接自宅まで引き取りにきてもらえる場合もありますので、何軒かのリサイクルショップに問い合わせてみることをおすすめします。ここで大きく使わないのに場所をとっているものを整理できれば、部屋の中が明るく、動きやすくなるでしょう。

処分ではなく大人数用の古い家具や家電を夫婦で暮らすためのコンパクトで使いやすいものに買い替えるのも、「片づけ」の一つといえるでしょう。子ども世代に捨てるしかない、処分に費用がかかるものを残すより、リユース可能なものの方が喜ばれるかもしれません。

知っておきたい、リサイクル業者に依頼するコツ

リサイクル業者に買い取りを頼もうという時は、「これは買い取ってもらえるかしら？」と思うものも含めて、不用品がある程度の量になった状態で連絡し、まとめて査定してもらうのがおすすめ。このような方法であれば、もし単品で値が付かなかったものでも、まとめて引き取ってもらえることもあります。

査定してもらうものは、事前にキレイにしておこう

買い取ってもらおうとするものはできるだけキレイにしておくこと。キレイか汚れているかでは査定が違ってきます。そしていちばん大事なことは、物の価値は時間が経つほどに下がってしまいますので、リサイクルを考慮に入れるとすれば、できるだけ早く整理を始めた方がいいということです。

❶処分品がある程度の量になった状態で連絡しまとめて引き取ってもらう
❷キレイにしておく
❸できるだけ早く整理を始めた方がいい

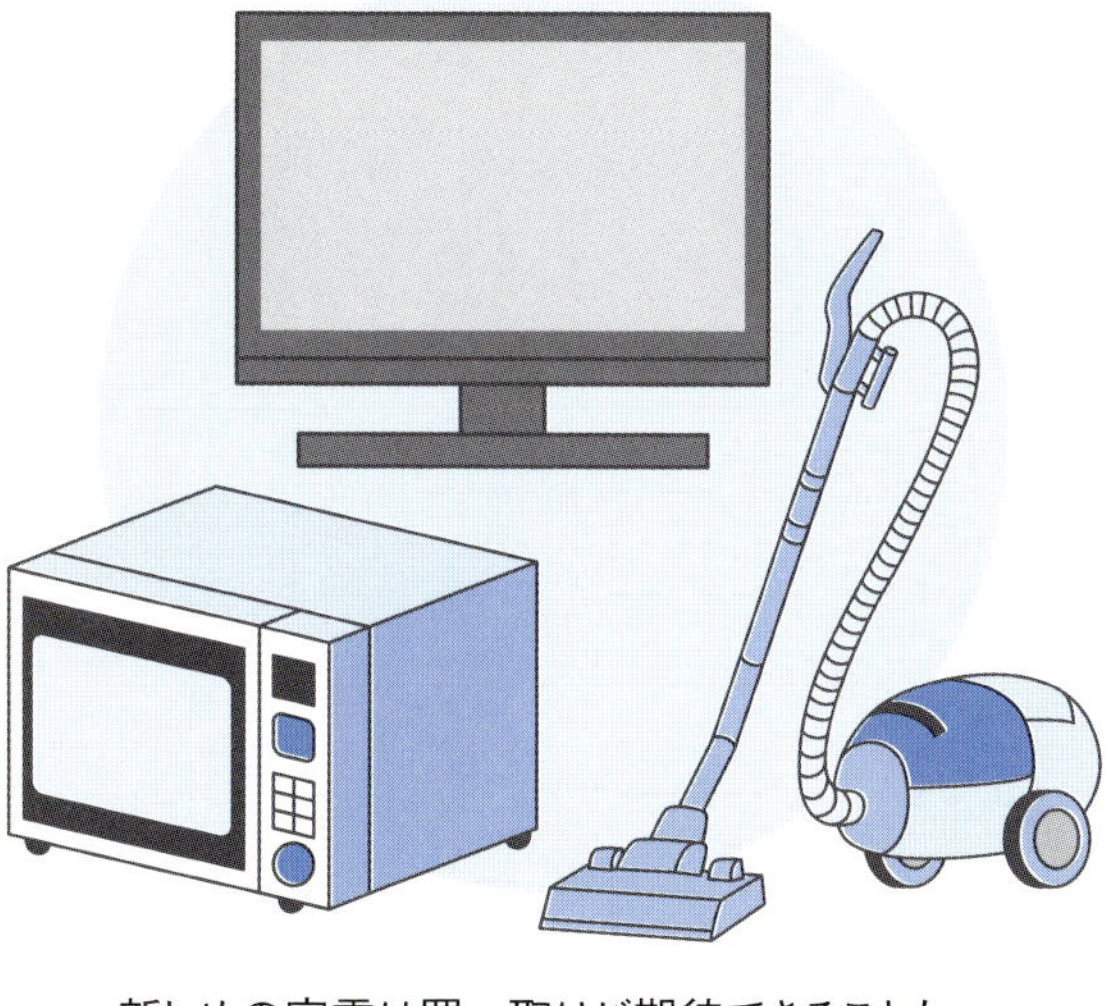

新しめの家電は買い取りが期待できることも

プロからのアドバイス！

家電を持ち込む方法もあり!

郵便局でリサイクル料金を支払うことで、全国にある「指定取引場所」に持ち込む方法もあります。運搬料などが掛かりませんので、車などで持ち込み可能であれば検討しましょう。指定取引場所は「家電製品協会」のHPで近所にあるかを確認できます。

コツ
25

入院や避難で家を空ける時の備えと整理

急な入退院や自然災害など、急に家を空ける必要が出てくる場合があります。急な災害への備えや、体力が落ちた後の生活に向けた行動は生前整理の一環にもなるでしょう。

綺麗より安全第一を

歳を重ねると、急な入院など体調に支障をきたすこともあります。退院の目途がたたず長期不在にしたり、同居や施設入居をすることになった場合、、賃貸などは電気や水道、ガスといったライフラインの解約なども考えなければいけないでしょう。

また退院できた場合もトイレに行きたくてもすぐ動けないなど、自宅内での移動に不自由することもあります。寝室が2階にあった場合に生活の場を1階に移すといった変化もあるでしょう。

それを機に**1階の不要なモノを整理することもできます**が、体調に不安がある中で片づけることになります。食事やトイレ、お風呂に入る時などの移動距離が短いほうが事故を防げ安全対策にもなりますので、元気なうちに見直しましょう。

また災害はいつ私たちの身の上にいつ起こるか分かりません。地震などで落ちてくる危険があるものは低い

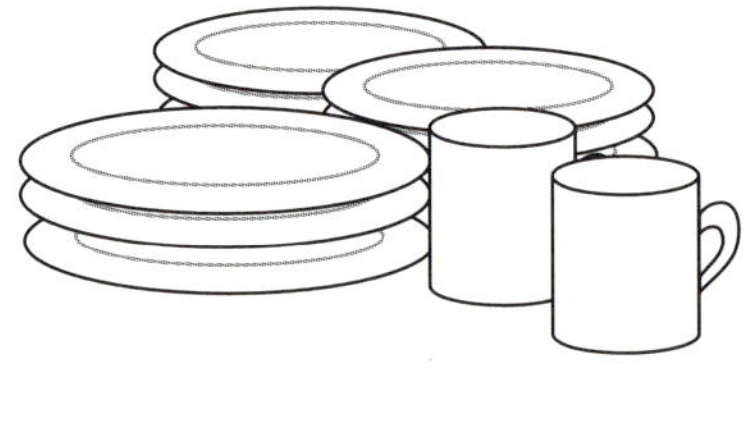

場所に移動させておきましょう。また災害が起きると避難所での生活を余儀なくされることもあります。避難した後に、不自由な生活の中で健康状態に支障がきたさないよう、日頃から準備を心掛けることが大切です。**貴重品を一ヵ所にまとめておくことや非常持ち出し袋を備えておく**ことで、安全に速やかに非難ができるとともに、急な入院をサポートする家族がスムーズに対応することができます。

安全対策で重要なのは

床にうずたかく積まれた雑誌や新聞、高すぎるなどで手が届きにくい場所に配置された物などは撤去しましょう。崩れてくる、床に散らばり転倒しやすくなるなどの危険性が増してしまいます。

プロからのアドバイス！

あえて撤去しないことも考える

イスや台などは、無意識のうちに手を付いて支えにしていたり、起き上がるときの補助に使っていることもあり片づけたら困ることもあります。捨てる前に動線を確認して、必要なものはグラつきや安全面を確認したうえで「あえて置く」ことも考えます。

コツ 26

家の弱みを把握して片づけを

少子高齢化の現代では、子どもが巣立った後に夫婦で2人暮らしをしている状況が多くみられます。突然やってくる地震や洪水といった自然災害に際し、自分たちだけで素早く避難するため、普段から家の整理整頓を心がけましょう。

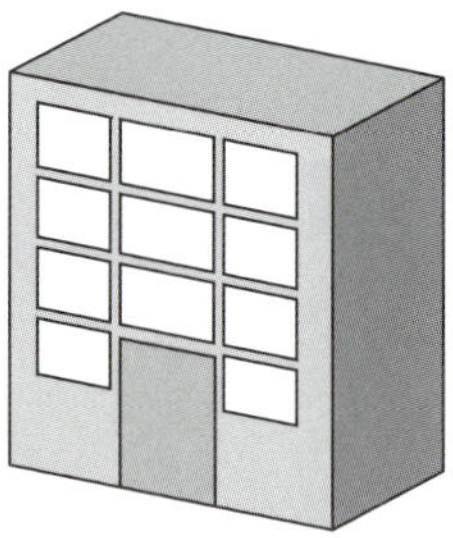

3つのポイントで片づけ

災害大国といわれる日本。中高年の夫婦が2人暮らしをしている家などでは、地震や洪水などの被害が出た際に、スムーズに避難をするのが難しい状況も生まれます。そこで3つのポイントを意識して家を片づけることで、整理整頓と防災備蓄の両立を図ることができます。

・安全面について

日中も家で過ごす生活を想定して、転倒防止用の器具の取り付けをしていない場所がないか見直しましょう。停電で階段を踏み外す事故も多いので、充電式のライトの設置などで備えましょう。

・災害時も日常も考えて整理整頓

被災時に避難の妨げになる物は床に置かないようにしましょう。また落下の危険がある場所の重いものは下に収納。日常生活においてもつまずいて転ぶ危険性が減り、出し入れもラクになります。

・「ローリングストック」を意識

普段の生活に非常食を取り入れて、食べたら買い足し、常に新しい非常食を備蓄する方法です。ポイントは賞味期限を切らさないよう、古いものから消費することです。

日々の防災意識で不要な物を減らす

重要なのは**自分が住んでいる地域の危険度を知ること**。国土交通省や自治体のＨＰなどでハザードマップが確認できます。例えば地盤の上に土を盛り足した宅地造成地は地盤が弱く、地盤が傾斜して不同沈下する恐れが大きいです。また低地の水害に遭いやすい地域では、すぐに動けるよう非常用の持ち出し袋をまとめておくとよいでしょう。

ポイントは一度に無理して進めるのではなく、徐々に整理していくこと。「着ない服より防災グッズがあった方がいいな」というように意識するだけで自然と物は減っていきます。防災を意識することでやみくもにモノを増やすことはなくなり、「不必要な物を減らす意識」や「もしものときに使えるモノ」を備蓄することに繋がります。

プロからのアドバイス！

定期的な点検も大切

キッチンの火災対策や消火器の備えはおろそかになりがちですが、こまめに点検しておくといざという時に住宅火災などを防ぐことができます。火災報知器などは設置10年を目安に本体の交換を検討しましょう。

エピソード⑥【Uさん 40代女性】

両親が他界して、空き家になったマンション。わたしたち姉妹はそれぞれ家庭も仕事もあって、なかなか遺品整理ができませんでしたので、遺品整理業者に依頼することにしました。いくつかの業者に見積もりを依頼して、一番安かったところに依頼。片づけも早く、さすがプロだと思いました。ところが、いざ作業が終わって請求書を見ると、見積もりとは違う金額が記されていました。理由を聞いても納得のいく説明をしてもらえず、仕舞いには先方の担当者も鬼の形相に変わっていくのです。まったく納得はできませんでしたが、作業してもらったのは事実ですから、しぶしぶ支払いをしました。後になって、同じようなトラブルが多いことを知って、とても後悔しました。

エピソード⑦【Rさん 40代男性】

しばらく放ったらかしていた祖父母の家を、わたしの両親が片づけました。家電や大型家具は、チラシで見つけた地元のリサイクル業者が買い取ってくれることになったそうで、引き取ってもらいました。清算は後日ということになったそうです。わずかでも買い取り金が片づけ費用の足しになればいいと願って、リサイクル業者に依頼したのですが、なんと買い取り金どころか請求書が送られてきました。そのリサイクル業者に電話してもつながらず、請求書だけが届くのです。不安になり消費者センターに相談をしているところです。

第4章

プロの業者の上手な活用

コツ 27

プロのサービスを上手に活用して家の片づけを効率的に行う

遺品整理でも生前整理でも、最近はさまざまな専門業者がたくさんあります。必要な作業に応じてサービスを比較検討して、プロにサポートしてもらうのもひとつの方法です。

それぞれの専門分野と特徴をよく知る

家の整理や片づけをすると不要品は大量に出てきます。粗大ゴミを処分するとなると、分解したり、搬出したりと労力も時間もかかります。片づける家がエレベーターのない2階以上の部屋の場合は、粗大ゴミの収集日にあわせて運び出すのも一苦労。そんなときはプロの業者に依頼するというのも選択肢に加えてみてはいかがでしょうか。回収や処分を手掛ける業者は各種ありますので、ここでは主なものをご紹介します。

①不用品回収業者

家の片づけをご自身でした後、不要品や粗大ゴミの回収をしてもらうのに適しています。運送業者でも対応している場合もあります。回収と処分が主な作業になりますので、比較的低料金かつ短時間で済ませることができるでしょう。不要品回収業者や運送業者、便利屋においても、家の片づけを行う業者が存在していますが、専門家であることは少ないので、依頼する際には業務内容を十分確認してください。

②リサイクル業者

不要品を買い取ってもらう場合に適しています。古いもの、壊れているものなどは買い取ってもらえませんが、なかには引き取って処分してくれる業者もありますので、相談してみるのもいいでしょう。

③遺品整理業者

遺品の仕分けや不要品の処分をする専門家なので、親世代から受け継いだ家でご自身で仕分けが難しい、片づけができないという方に適しています。不要品の処分だけではなく、仏具や人形などの供養、家財等の買取、簡易清掃、家屋の修繕(リフォーム)などの業務に加え、法的な遺産相続手続きまでをサポートする代行会社もあります。

プロがみたエピソード!

業務内容を確認しないで後悔

遺品整理もしてくれる便利屋さんに親の遺品整理を依頼したAさん。格安と思ったそうですが、「仕分けをする遺品整理」は別料金だったので、思っていたよりお金がかかり、大切な遺品も一部なくしてしまったそうです。

コツ
28

トラブルに巻き込まれない！上手くプロに依頼する方法

プロに依頼するにしても、どこに頼んだらいいのかわかりにくいものです。事業者を選ぶ際に気をつけておきたいこと、確認すべきことをご紹介します。

依頼前に見積もりとサービス内容を確認

遺品整理では、多くの人が親御さんや身内の家の片づけをすることになり、ほとんどの場合が初めて遺品整理業者に依頼することになります。

管理会社や葬儀業者から「指定業者を紹介できます」と言われることもありますが、業者によっては料金やサービス内容に差があることもあります。片づける家があるエリアを担当している業者を電話帳やインターネットで探して、少なくとも2〜3社には見積もりを依頼して、サービス内容や料金を確認するようおすすめしています。生前整理として仕分けや処理を業者に依頼する時も同じです。見積もりの際は立ち会い、疑問に思うことは納得できるまで質問をして、料金だけで選ぶのではなく、どういう人がどのように仕分けをして、どう対応するのかを見極めて業者を選ぶことが大切です。また、今ならこの金額といった営業トークに押されて決めないように、「他でも見積もりをとっているので」「子どもとも相談して連絡します」と保留にし

て、しっかり比較・検討しましょう。最近は各社にホームページがあり、サービス内容や業務実績、利用者からの評判などを紹介していることもありますので、参考にしてみるのもいいでしょう。

家の解体を依頼する際の注意事項

終活の一つとして手入れの負担が多い戸建の家を手離してマンションに引っ越すケースも増えているようです。家の片づけにおいて、一軒家を解体する場合、もっとも費用がかかります。そこで事前に確認すべきことは、**解体工事業として都道府県に登録**しているかということ。重機等を使って家を解体し、廃材を廃棄物として適正に廃棄するため登録が必要なのです。ただし、土木工事業の建設業許可を受けている業者は登録しなくても解体できますので、家を建ててくれた工務店に相談してみるのもいいでしょう。また、産業廃棄物処理業の許可の有無についても必ず確認が必要です。不法投棄など片づけに関する事業者とのトラブルが頻発していますので、必ず適正に廃棄物を処理してくれる業者に依頼しましょう。

プロからのアドバイス！

見積もり前にちょっと片づける

どうせほとんど捨てるものだから…と散らかった部屋で積もりを依頼すると、荷物が多いと思われます。処分できるものは片づけてから見積もりを依頼すると、比較的料金を抑えられる可能性もあります。

コツ 29

よくあるトラブルを知ることで当事者になることを回避する

遺品整理・生前整理のニーズが昨今急速に高まっています。誠意ある事業者もおりますが、残念ながら心ない事業者も増えており、トラブルも続発しているのが現状です。

代表的なトラブル事例と対処方法

①ボッタクリ請求・追加費用

人生で遺品整理・生前整理をする機会はそう多くはないので、費用相場もあまり周知されていないのが現状です。それにつけ込んで、ボッタクリ金額を請求する業者がいます。また事前見積もりでは他業者より安かったのに、整理作業後に適当な理由をつけて、高額な追加費用を請求する例もあります。

②不法投棄

激安業者によくあるトラブルです。処分費や手間を省くために、山奥や川底に投棄する業者もいるようです。不法投棄された品の中に個人情報などがあれば、依頼者であるあなたに連絡が来てトラブルに巻き込まれます。業者の連絡先が不明だと、あなたが不法投棄をしたとみなされることもありますので、業者に整理を依頼したら必ず領収書や名刺などを保管しておきましょう。

③リフォームを強引にすすめる

賃貸住宅の整理時によくあるトラブルです。整理の作業後にもっともらしい理由を語って、高額なリフォームを強引にすすめるようです。特殊清掃が必要な場合を除き、リフォームが必要になることはほとんどありません。もしリフォームを考えているなら、別途リフォーム業者に依頼するのがいいでしょう。

④貴重品も処分してしまう

遺品整理では、埋もれている通帳や現金、貴金属なども一緒に処分されてしまう事例があります。業者に悪意がなかったとしても、知識や経験不足から発生する可能性もあるのです。しかし、それではプロ失格です。親や配偶者が残したままの品をまとめて片づけるような場合は、遺品整理にまつわる資格を有している専門業者に依頼すると回避できる可能性が高まります。

⑤ご近所迷惑をもたらす

遺品や処分品を雑に扱い、トラックに積み込んだり運搬する際に大きな音を出したり、私語が響いたりして、ご近所に迷惑をかける場合があります。見積もりの際に担当者の人柄や、何かあった場合の会社の連絡先を必ず確認するようにしましょう。

プロからのアドバイス！

もしトラブルに巻き込まれたら

不用品回収で「無料で処分します～」とトラックなどで回っている業者やチラシ投函などをしている業者は、全てではないですが、トラブル事例が多いです。

例えばトラックに積んだあとに、回収代で8万円です!などのケースもあります。

携帯電話番号のみや折り返しても繋がらない会社、電話で不用品回収の勧誘をしてくる業者には特に注意しましょう。

コツ 30

家事代行業者の上手な活用

家の中の片づけは家事のプロフェッショナルである家事代行業者を活用して効率的に片づけましょう。

現在の家の状況によってスポット的か定期的かを決める

親世代が使っていた部屋を片づけたいけれど、何から手を付けたらいいかわからない、あるいは断捨離をしたいけど自分の体力ではもう大きな家具などは動かせない。そうした時には家事代行業者に依頼して、片づけられない部屋の掃除や整理収納、大型家具の移動などをしてもらうのも選択肢の一つです。

家事代行には法人と個人がありますが、基本的には**保証が付いていることの多い法人**に依頼するとよいでしょう。実際の流れとして、最初に何をしたいのかをヒアリングし、作業方針を決めて、作業を開始します。次に収納物の必要か不要かの判断をし、代行業者の方のアドバイスを受けながら整理収納を行います。代行業者にもよりますが、定期訪問プランより時間単位のほうが、金額は高いものの**1時間単位でのサービス提供を依頼できる**ので、会社勤めの人などはこちらのプランを活用するのがおすすめです。

もし単身で暮らしているのであれば、定期サービスを活用して定期的に食事や買い物、掃除などの家事をサポートしてもらいつつ、不必要なものを少しずつ、整理するといった選択も可能です。

家事代行業者を利用するメリット

必要、不要の
判断は自分たちで
できる

1時間単位で
依頼ができ、
何日かに分けて
依頼することも
可能

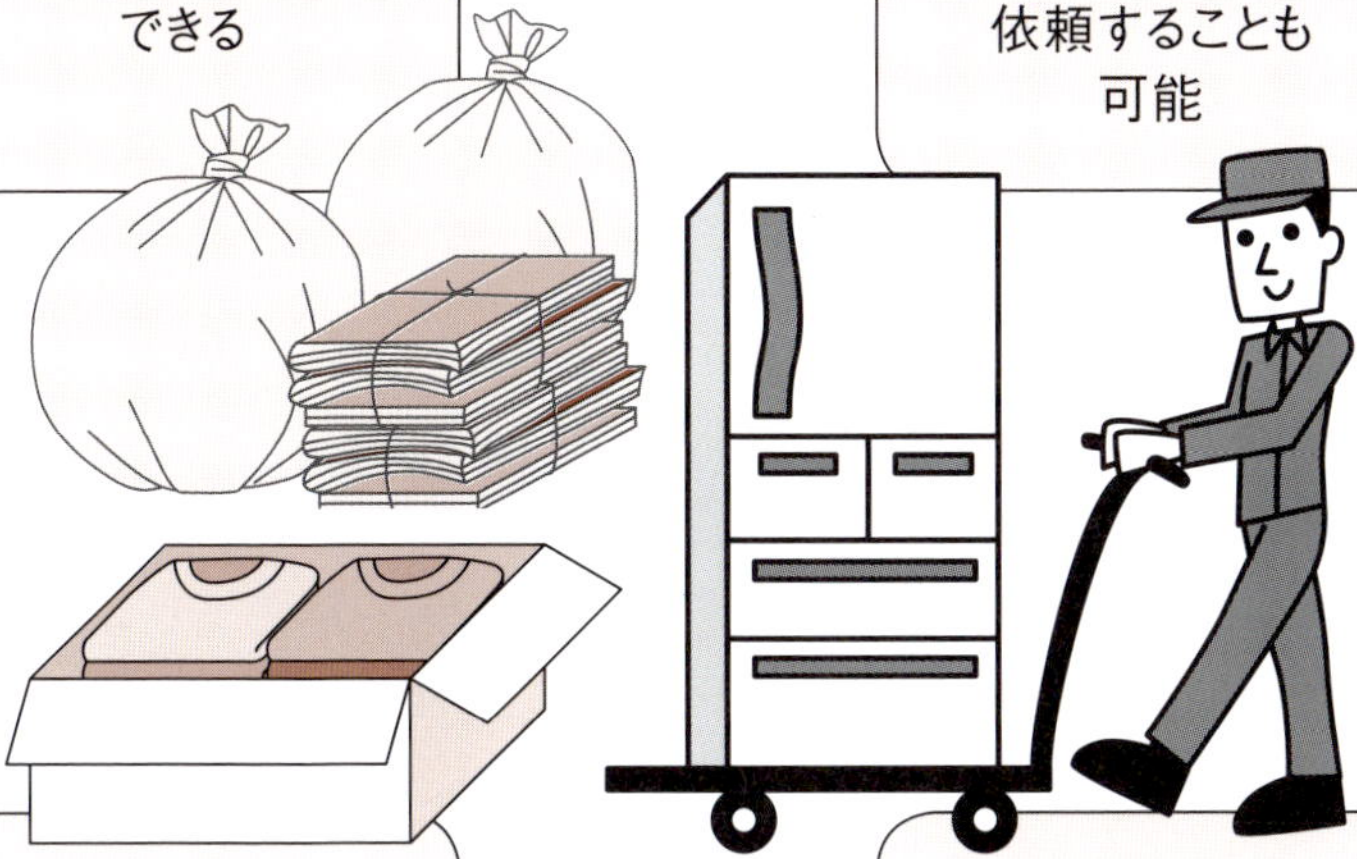

利用しやすい
配置などについて
アドバイスを
貰える

掃除、洗濯
買い物など
通常の家事も
併せて
依頼できる

リサイクルや処分に関しては不用品回収業者（P120）や
遺品整理業者（P126）を活用しよう！

プロからのアドバイス！

親子間のすり合わせができる

血を分けた親子だから、思い出がある故に、何を優先して処分するかで揉めがちなもの。そんな時は家事代行業者に自分たちの希望を伝えつつ、第三者目線からの意見を聞いて必要・不要なものを整理しましょう。

コツ
31

不用品回収業者の上手な活用

不要なものを仕分け整理したら処分をしなければなりません。大型ゴミを出すとなると、自家用車では難しいことも多いため、その場合は不用品回収業者を利用しましょう。

完全に不要なものだけを廃品回収業者にお願いする

遺品整理業者と不用品回収業者はともに、物を整理するという点では同じですが、不用品回収業者は、部屋にあるものをすでに使わないものとして回収するのが仕事です。一言に不用品回収業者と言っても業者によって特徴が違います。「トラック載せ放題」をうたう業者や、商品の買い取り（リサイクル）に強い業者、女性スタッフが在籍している業者などそれぞれ似ているようであって得意分野に違いもあります。**複数の業者で見積もりを出したうえで、業者の得意分野と、自分の要望が合致する業者にお願いしましょう。**ただ、極端に料金が高い場合や低い場合はその理由を尋ねてみるのがおすすめです。例えばオプションとしてエアコンの取り外しが含まれているから高い、逆に含まれていないから基本料金は安いけど、オプション料金は非常に高く設定していて結果的に高い費用になるといった場合もあります。回答が曖昧でしたら悪徳業者の可能性があるので、候補から外すのが良いでしょう。

無料で回収するという営業を掛けてくる業者もいますが、営業許可を持っていない違法業者の可能性もあり、後々トラブルとなる場合もあります。そういった業者に対しては**毅然と断りを入れ、場合によっては警察に連絡**して対処しましょう。

不用品回収業者へ依頼する際のメリットと注意点

メリット

- 自分の都合に合わせて日程を決められるので即日処分が可能。
- 買い取りに強ければ不用品が現金になる可能性がある。

注意すること

- 必要・不必要の仕分けは自分で行わなければならない。
- 回収後の片づけは自分たちでやらなければならない。

積み放題の回収量の目安

回収業者に依頼する際にどれくらいの量かあらかじめ伝えておくと、適切な車を手配してくれます。一人暮らしでしたら軽トラックで十分な場合もありますが、家じまいを考えている場合などは大型のトラックを利用することも想定した方がいいでしょう。

軽トラック

自宅の押し入れの片づけや家具家電の数点を粗大ごみとして出せる量。1ルームや1LDKを想定。

2トントラック

3LDKまでの夫婦での生活や家族の荷物を処分する際におすすめ。一軒家を全部片づけるならもっと大きなトラックのプランの検討も。

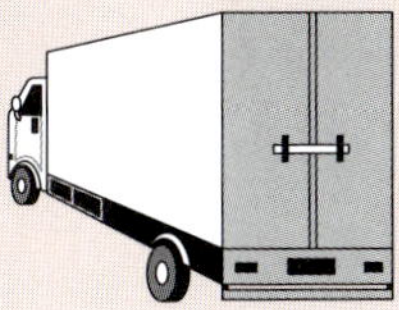

プロからのアドバイス！

単品の回収よりパック料金がお得

家具や家電の種類ごとに回収料金を設定している業者もいますが、割高になる場合が多いため、積み放題のプランを利用した方が費用負担は少ないと思います。定額料金のオプション内容も事前に確認するのが大切です。

コツ
32

家屋の修繕やリフォーム業者の活用

親世代からの実家を継いでこの先も住み続けることを決めた場合、必要なのがその維持や管理。自分たちの世代では売却を考えていないのであれば必要になってくるのが家の手入れです。

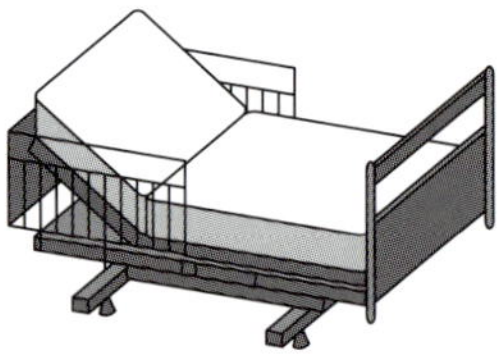

早めの改修・リフォームも

家の維持管理には手間も費用も掛かります。もし、この先も家に住み続けるのなら、早めに修理修繕を始めるのがよいでしょう。戸建の家や築年数が古い集合住宅では老朽化が進んだり、バリアフリーではなく高齢になると生活しにくくなるケースが多く、早いうちから改修・リフォームを検討するのが得策です。

その際にまず考えるべきは、**段差や高低差の少ないバリアフリーリフォーム**。長く安心して暮らせるよう「手すりの設置」「段差の解消」「床を滑りにくくする」「家の明るさの均一化を図る」の4つのポイントに注意するとよいです。

バリアフリーリフォームを行う際は、自治体の助成金などを受けられる可能性があります。また要介護認定を受けた場合は、補修費用の9割(20万円まで、一定所得の場合は8~7割)が支給されます。基本的に着工前の申請が必要ですので覚えておきましょう。またリフォーム業者に依頼する際は、家を建ててくれた地元の工務店や不動産会社にお願いするのもよいでしょう。もちろん全国展開をしているリフォーム業者もいるので、**少なくとも2~3社の事業者に見積もりをお願いし、サービス内容や料金を確認**して検討しましょう。

介助が必要になった場合

もし介助が必要な状況になった場合、必要になるのが手すり。いきなりバリアフリーリフォームや手すりの購入をする前に**まずはレンタルの活用を検討しましょう**。手すりは一度付けてしまうと中々外すことができません。また怪我や退院後などは身体の回復具合や体調によっても必要な位置が変わってきます。**まずはレンタル手すりで様子を見て**、「ここに絶対必要！」という場所に取り付けるようにしましょう。

トイレや玄関などの屋内用はもちろん、屋外用の手すりもレンタル可能な業者があります。折り畳み可能なものなど料金も月に数千円で1つレンタルできるので、必要に応じて検討してみましょう。
ケガをしたけど手すりがあってよかった。

プロからのアドバイス！

将来を見据えたリフォームを

例えば介護ベッドを置く際は、四辺が空くように部屋の真ん中に置くことになります。寝たきりになった場合、四辺が空いていた方がオムツ替えといった介護がしやすいからです。すぐに利用することはなくても、室内の配置を柔軟に変えられるような配慮が必要です。

空き家問題

近年は「空き家問題」がメディアでも取り上げられるなど、大きな社会問題となっています。住む人間がいなくなり放置され老朽化した建物は、大雪による倒壊、不審火による火災の発生、台風などによる外壁の落下・飛散など、周辺に数々の危険を及ぼします。入院や施設への転居で家を離れる場合、こうした問題が起きないように対策を講じるのが不可欠です。

資産価値が高いうちに売却するのも一つですが、整備が行き届いている場合、最近は自宅を賃貸や民泊施設として貸し出す仕組みやサービスも充実してきています。**その一つが「マイホーム借上げ制度」です**。これは一般社団法人移住・住みかえ支援機構（ＪＴＩ）が国の支援を受けて行う事業で、50歳以上が対象となっています。自宅を他人に貸し出すことに不安を感じる方もいるかもしれませんが、この制度を利用すれば**事業者が入居者との間に入って管理をしてくれるため**、入居者との直接的なトラブルも防げます。また賃料の85％を受け取ることができるので、住まなくなった自宅でも安定した賃貸収入を得ることができます。

「賃貸経営なんてやったことないから、やっぱり心配」という方も、今は空き家を管理するサービスを提供する事業者も増えています。賃貸住宅の管理を行う不動産会社はもちろん、地方の自治体では地元の工務店や土木会社などがこうした取り組みを行っているケースもあります。空き家が増えること

は地域の防犯観点からも問題が生じてきますので、このようなサービスの活用を一考してみるのもよいでしょう。

自治体や行政も推進

空き家の問題に関しては、国や地方自治体でも対策に向けて取り組みを行っています。国としては2015年に施行された「空き家対策特別措置法」により、「空き家再生推進事業」や「高齢者等の住み替え支援事業」といった取り組みを含め、自治体への支援を積極的に行っています。

自治体が行う具体的な支援として「空き家バンク」という制度があります。自治体が空き家物件情報を収集し、他県などからの移住・交流希望者に向けHPなどでその情報を提供し、家の所有者と利用者、双方に利点のある取り組みとなっています。このように地域の支援が整っている制度ですので、田舎だから中々売れない、などの理由であきらめる前に一度役所へ行って相談することも考えてみましょう。

プロからのアドバイス！

空き家の除去費用支援も

自治体では地域の特性や状況にあわせ独自の条例を制定し、対策を行うケースが増えています。条例の行政代執行で危険家屋を強制的に撤去する事例もあり、一方で家の所有者へ除去費用を助成する取り組みも行っています。

コツ
33

遺品整理のプロは生前整理のプロ

どうすればスムーズに片づけができるのか。その点を踏まえて遺品整理のプロである遺品整理業者に相談するのもおすすめです。

遺すことに関してトータルで相談できる

子どもと同居する場合や、シニア向けマンション・介護施設などに入って現在暮らしている家を将来的に離れることが想定される場合、遺品整理業者と相談して部屋じまい、家じまいを検討するのも選択肢の一つです。家庭の状況や財産、健康問題、相続人の数など状況はそれぞれですので、遺品整理業者に一度相談して、自分たちの要望を伝えましょう。

今まで沢山の遺品整理に携わってきた遺品整理業者は、今後も必要なもの、必要性の高くないものについてアドバイスをしてくれます。また、家の中の整理はもちろん、**不必要なものの買い取り**や、**売却前のハウスクリーニング**、**リフォーム**などにも対応してくれる場合があります。見積もりの際に何ができるかを見極めるのも重要です。

①家の売却を検討

家のこれまでの使い方によっては、畳の裏に黒カビが生えていたり、タバコのヤニによる黄ばみなど、素人で

は到底対応できない汚れがあります。遺品整理業者は自身がハウスクリーニング業や、不動産業を兼任している場合もあります。または仲介が可能なことも多いので、売却も含めて検討・相談してみましょう。

②仏壇の供養

同居の際に家にある大きな仏壇を持っていけないケースはよくあります。粗大ごみとして扱いたくない気持ちは当然だと思います。遺品整理業者が提携する寺院にお願いして仏壇などを供養してもらうことも可能です。

③資産の相談

ファイナルシャルプランナーが遺品整理業務を兼業していることもあります。生前整理、生きている間の資産の相談、死後の遺品整理…と、老後から死亡後まで対応してくれるので、資産面で不安があればこのタイプの業者に依頼することがおすすめです。

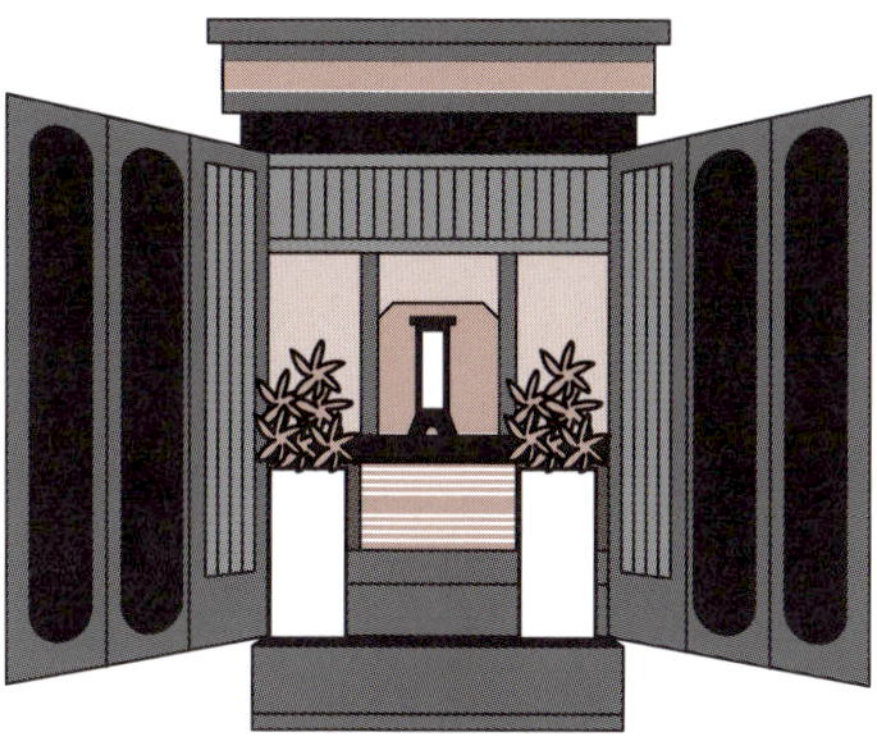

プロからのアドバイス！

遺して困るものから処理する

遺族からすると昆虫の標本など趣味の類のものは価値がわからずどう扱っていいか困ることも。元気なうちに同好の士に譲ってしまってもよいのではないでしょうか。また、アダルトな雑誌やメディアも生前に処理することをおすすめします。

コツ 34

生前の財産整理は計画的に行う

定年後の第二の人生をと考えた時について回るのがお金の問題。定年後も生活レベルを維持できるのか不安な場合はファイナンシャルプランナーに、相続の問題は税理士に相談するのがおすすめです。

自分の財産をどう運用するのか

あなたの親世代、祖父母世代が現役の頃は、会社員や公務員の定年は一律60歳で、退職金の一部で家のローンを返済し、後は年金暮らしでも問題なく暮らせるという時代もありました。しかし人生百年時代と言われる2022年現在では、平均寿命が男性は81歳、女性は87歳と平均寿命も伸びています。「定年後は趣味だった料理の店を開きたい」、「夫婦で国内の世界遺産巡りをしたい」、「地方に移住したい」など第二の人生に思いを馳せる前に、今持っているその資産を使っても問題がないか計画的に検討しなければなりません。病気やケガなど予想外の出費も考えられ、儲け話に乗って**使い方を誤れば、夫婦だけではなく、子供たちにも大きな負担**になることも。

そんな時はライフスタイルや財政、家族状況を分析して資産計画を提案してくれる**ファイナンシャルプランナー**を頼りましょう。現在の家からシニア向け住宅や高齢者施設へ入居する際の試算や、保険関係の整理、投資などの資産運用のほか、相続税の対策の相談にも乗ってくれます。相続、税、不動産、年金など、それぞれに得意分野があるので、一番悩んでいる部分に強いファイナンシャルプランナーに依頼することがおすすめです。

複雑な贈与税や相続税の申告を一手に担う税理士

財産の生前贈与のメリットについてはコツ6で紹介しました。しかし控除の仕組みを知っていても実際に書類の書き方や申請、贈与より相続の方が得であるパターンの把握、贈与額が多く課税対象になったりと、自分で贈与について調べて実行するのは困難です。特に贈与対象に不動産や株式が含まれる場合、**申告する際に財産評価が必要**となるため、**税の専門家である税理士**に相談するとよいでしょう。

税理士に相談することで、具体的な相続税の計算と節税対策をしてくれるほか、自分が事業を行っている場合は事業継承のサポートにも対応してくれます。もちろん報酬は発生しますが、資産や事業の規模によっては**追徴課税を支払うことや節税を考えるとお願いした方がお得**なケースも。**依頼する際に大切なのは相続や贈与に強い税理士にお願いすること**。同じ税理士でも法人分野に強い税理士、酒税など特定の分野に強い税理士など多岐に渡ります。節税にはテクニックが必要な場合が多いので、依頼する場合に事前に公式サイトなどで調べることが大切です。

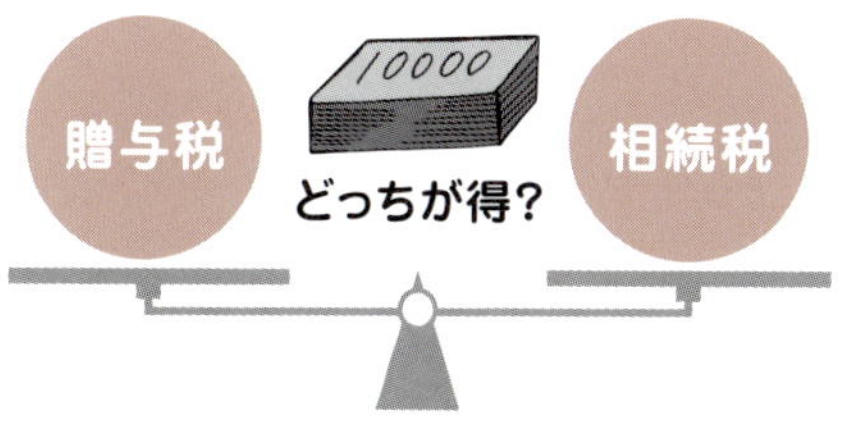

プロからのアドバイス!

名義変更は司法書士や行政書士に相談を

相続で困るのが不動産や株式などお金以外の財産の相続。不動産の名義変更(生前贈与)の場合、所有権移転の登記申請が必要で、司法書士に相談するのが一般的です。株式の場合は税理士や行政書士に相談するとスムーズです。

コツ
35

死後の相続問題はプロに助力を求める

生前にきちんと準備をしていたつもりでも、いざ亡くなった後に相続に関して親族同士が思わぬトラブルに巻き込まれることもあります。そんな時は「相続人同士の争い調停」など、その道の専門家である弁護士を頼ります。

相続ではなく「争続」になってしまうことも

どれだけ仲が良かった家族でもトラブルが起こるのが遺産相続です。生前の財産整理がしっかりとできていればよいですが、全てを完璧に準備することも難しいです。「自分の家は財産も少ないから大丈夫」と思う方も居ますが、実際に裁判所に持ち込まれる相続トラブルのうち、**約3割は相続財産1000万円以下で起こっています。**遺産相続で最も揉めてしまうのが不動産です。不動産は複数の評価基準があり、採用する評価方法によって評価額が大きく変わります。そのため相続人の間で意見が対立しやすいのです。

こういった問題が起きた時は専門化である弁護士に依頼します。例えば親族間で遺産分割協議をする場合、意見がぶつかり中々協議が進まないことがあります。そういった事例や裁判になった時に「代理人」となってくれるのが弁護士です。その際は遺産相続に関する実績があり、また依頼時の費用を明確に説明してくれる弁護士を選ぶのがポイントです。遺産相続などで揉めてしまった場合、その争いを解消できる士業は弁護士だけです。とはいえ、親族間で争う状況は避けたいものです。なるべく問題が起こらないよう事前に遺言書を作成するなどの準備をしておきましょう。

遺言書は公証人に依頼する

遺言書には自筆証書遺言、公正証書遺言などがあります。自筆証書遺言は自分ですぐに書けて無料で作れます。しかし「裁判所の検認が必要」なことや「印鑑が押されていない」、「内容によって解釈が変わってしまう」など、**効力が発揮できない可能性があります**。その点、公正証書遺言は裁判所の検認も不要で不備になる恐れが無く、最も確実な方法といえます。

公正証書遺言とは公証役場で作成する遺言のことです。遺言者が口頭で遺言内容を話し、公証人が遺言書を作成します。また2人の証人がその内容を確認することになります。しかし、公正証書遺言書は証人に誰を選ぶかなど、手間と時間が掛かります。逆に自筆証書遺言は手軽に作成、状況の変化にあわせて書きかえができるなどのメリットもありますので、家族の状況が頻繁に変わりそうなら自筆遺言書で、など自分の状況に合わせて決めましょう。

プロからのアドバイス！

自筆遺言書は法律に沿って作成する

遺言書が効力を発揮できるよう、書き方は法律に決まったもので書きましょう。「遺言書本文については、氏名や日付も含めて全て自筆で書く」「日付を書く」「捺印は必ず押す」などがあります。保管場所は改ざんされないよう、銀行の貸金庫などに保管しましょう。

プロ活用のなんでもQ＆A

身内が亡くなり遺品整理を迫られた時や思い切った断捨離をする場合、家の中は処分するものが膨大で生活しながらの片づけは考える以上に大変な作業です。そんな時はプロに頼ることで自分たちではできなかったことや、気づけなかったアドバイスを貰うことができます。

Q 業者に依頼する際に他人が家に入るのは抵抗があります

A

もし同居していた親や配偶者の遺品整理で、故人が残した大切なもの、高価な品物など把握できるのであればある程度仕分けた上で業者に依頼するとよいでしょう。「他人に散らかった家を見られたくない」という声はとてもよくきかれます。そんな時は時間単位でエリアを決めて片づけるプランから試すとよいでしょう。他のスペースは布で隠しておくこともできますよ。また、仕分けや収納アドバイスをしてもらう場合も貴重品や触れてほしくないものは事前に箱に入れて目に届く場所に保管すると安心できるでしょう。

TOPIC! 個人情報守秘義務も確認

片づいていない家の中を見せるのは恥ずかしいという方も多いがプロにとっては腕のみせどころ!そのままの状態で任せて問題ありませんが守秘義務などが明記されているかどうかはきちんと確認しましょう。

Q 部屋のモノが多くて何から手を付けるべきでしょうか？

A

「必要」、「不必要」、「今使わない」の3つのカテゴリーを作って仕分けをすることが大切です。同じ衣類でも日常使いしているものやフォーマルスーツは「必要」、流行が終わったり、体型が変わったため、いつか着るかもと思って保管しているものの数年着ていないものは「不必要」、季節の衣類や趣味のウェアなどは「今は使わない」に分類し、「不必要」としたものは捨てる、譲る、売るなどして部屋からない状態にしましょう。これは食器や雑貨類なども同様です。新しいものを買ったら似たようなジャンルや用途の古いものは捨てると部屋にものが貯まらないようになります。

TOPIC! 1年間開けなかったら処分

「今は使わない」に分類して1年間段ボールや収納ボックスに入れて、使わなかったものはその後も恐らく使うことはありません。念のため家族に必要か確認し、要らないと言われたら処分してしまいましょう。ただしコロナ禍の影響で出番がないこともあるので慎重に。

Q 運送業者や便利屋に整理を依頼するのはどうでしょうか？

A

部屋の片づけの際に運送業者や便利屋を利用するのも選択肢の一つです。しかし、不用品回収業者（コツ31参照）と同様、業種や会社ごとに得意、不得意な分野があります。運送業者はものの運送のみで、整理や買い取り対応はしてくれません。少ない荷物を運びたい場合に限定されるでしょう。

便利屋についても家事代行業者（コツ30参照）と同様、会社化している場合と個人事業主の場合があります。事前に料金を決める、任意賠償保険に入っている、領収書を発行してくれる業者を選んで見積もりを取りましょう。

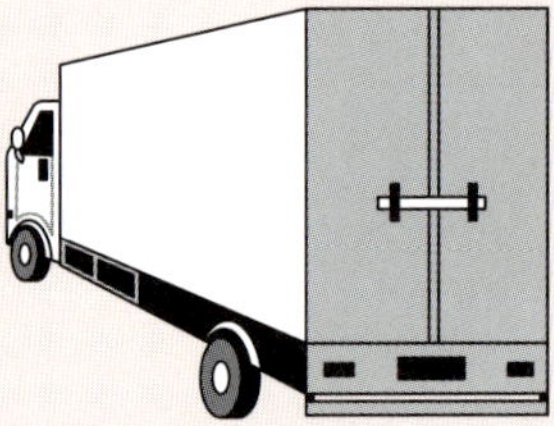

TOPIC! 依頼の際は資格の確認も

不用品の回収には市区町村による一般廃棄物収集運搬の許可が、また中古品の買い取りなどの場合には古物商許可の資格が必要になります。依頼したい内容を吟味した上で、必要な資格を持っているか確認しましょう。

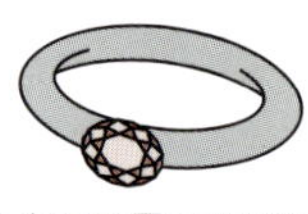

貴金属の買い取りは古物商許可の資格が必要

Q 使わない着物や服飾品どうしたらいい？

A

現代では冠婚葬祭やお祝い行事以外では着る機会が減りつつある着物。自宅の箪笥に眠ったままということもあると思います。もう自分は着ないなと思っても、受け継がせる人がいないといった場合は着物をリメイクしてはいかがでしょうか。着物をワンピースなどに仕立て直したり、財布や巾着などの身の回りのものに変身させましょう。自分で作るのに自信がない場合は、専門家にお願いして作ってもらうことも可能です。ネットで請け負っている業者もいますので探してみてはいかがでしょうか。指輪も石を活用してネックレスなどにするのもおすすめです。

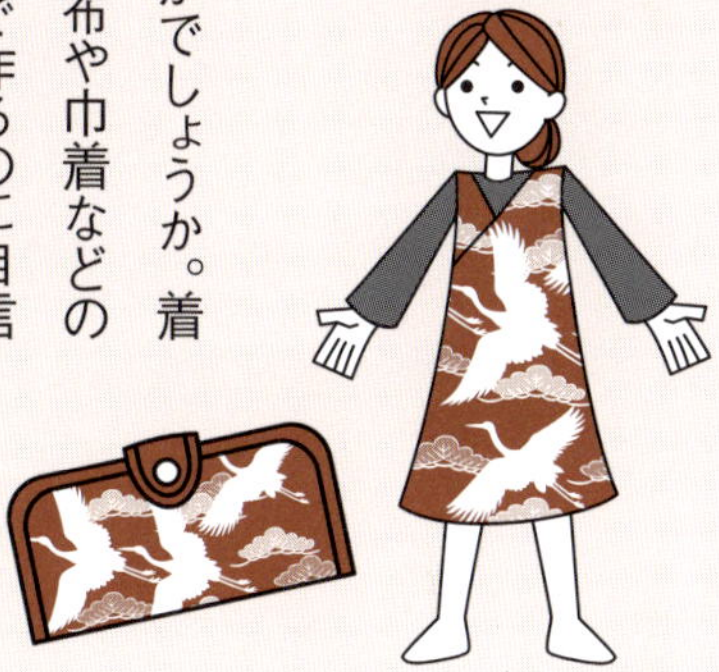

TOPIC! 悪徳商法注意!

終活や断捨離などを通じて身の回りの物を整理した際に出た不用品を狙い、悪質な買い取り業者が家にやってきてトラブルになることも。有名な企業の名刺を偽造して信用させようとするなど様々な手口で騙そうとするため、家に入れないことが重要です。

Q 親世代からの家に残されたものを遺品整理業者に片づけてもらえる?

A

もちろん可能です。

遺品整理業者は、ご遺族に替わって遺品整理を行う専門家です。

多くの業者の中で信頼できる業者を探すには「遺品整理士認定協会」に紹介をお願いするのが一番おススメです。

協会が認定した遺品整理士の資格をもつ企業では知識はもちろん、故人への畏敬や感謝、遺された家族への配慮をもって業務を行ってくれます。

TOPIC! 遺品整理をトータルで任せる!

遺品整理では仕分けから始まり、部屋の片づけ、不要物の処理(業者に売るのか捨てるのか)などやるべきことが多岐にわたります。そういった作業をそれぞれの業者に頼むとコストや時間もかかりますが、遺品整理業者はまとめて行えることが特徴といえます。

Q 遺品整理業者は遺品だけ？終活のサポートは？

A

遺品整理業者へ寄せられる依頼の中で、生前整理のご相談を受けることが多くなっています。特に高齢者福祉施設や特別養護老人ホームなどの施設に入る方や、配偶者の方が亡くなったことを期にお子さんの家で暮らすことになった方、一人暮らしをすることになった方が多いです。遺品整理士認定協会では、これらの悩みに対して「遺品整理高齢者会員制度」も設けてサポートしています。管理協会または協会の加盟企業にご連絡いただければ悩みに対して真摯に対応いたします。

TOPIC! ご両親の生前整理のお手伝い

親の生前整理については、業者に頼むのも選択肢の一つです。例えば親に「転んだりしたら不安だから業者に依頼したい」と相談すると、「他人に散らかった家を見られたくない」と片づけを始めるケースもあります。

遺品整理業者の存在意義を知ってほしい

遺品整理業者とはいったい何をしてくれるのか、多くを理解されている方は少ないでしょう。しかし、今の時代、遺品整理業者の存在価値が大きくクローズアップされている理由にも注目したいものです。

遺品整理業者は、遺品整理に心をこめる

改めて遺品整理士についてご説明しましょう。遺品整理士とはご遺族に代わって遺品整理を行う専門家のことで、専門的な知識はもちろん、故人への畏敬や感謝、ご家族への配慮をもって業務を行うプロです。信頼を感じてもらえるよう協会の養成講座で遺品整理の取り扱い手順や法規制の知識を学び、認定を受けています。実際には、**①ご遺族に聞きながら故人のものを「要る物」「要らない物」に分けていきます。②片づけが済んだ後に部屋を掃除します。③不要と判断されたものをご遺族に代わってリサイクル業者などに査定を依頼します。④不用品を搬出し、地域の自治体のルールに従って処分します。**

この遺品整理士を中心に片づけ全般を行うのが遺品整理業者です。家族が他界され気持ちの整理がつかない中、または体力や時間がない中で時間や労力のかかる遺品整理の大変な作業を、遺族に代わって心をこめて行う存在は、遺族にとって大きな助けと安心になっているようです。実際に依頼した方々の中には、「ここまでやってくれるとは思わなかった」「心をこめて行ってくれているのがわかり、とてもありがたかった」という声が多くあります。

片づけ、掃除、処分など、すべてに対応する遺品整理業者

気になりながら手をつけられないより、整理業者が代わって整理を行う事が供養にもなりますし、心身の負担も減らしてくれます。

遠くて
どうしても
行けないよ
足腰が痛くて、
できそうも
ないわ
つらくて、
とても整理なんて
できない…

そんな方のために、遺品整理士がいます！

プロがみたエピソード！

遺品整理士さんには本当にお世話になりました

亡くなった高齢の父は最後の方は少し認知症が入り、部屋の中は散らかし放題の状態になっていました。私も体の具合が悪く、片づけができる状態でなかったため、遺品整理業者の方に整理を頼みました。父の趣味であった骨董品も、業者の方が査定を頼んでくださり、私ではできないことをすべてしていただきました。本当に助かりました。（Oさん 50代女性）

遺品整理士認定協会から業者を紹介してもらう

では、実際に遺品整理業者に依頼しようと思った時、どうしたらいいのでしょうか。

遺品整理や生前整理を業務とする会社は現在、とても増えています。しかし、それだけ信用できない業者も出てきているのも事実です。

信頼できる業者を見極めるコツをご紹介しましょう。

遺品整理士のいる、信頼できる業者を選んでください

知り合いの方から、ご自身も実際に頼んで良かったという業者やプランを紹介してもらうのなら安心ですが、そうでない場合は、自分で探さなければなりません。基本的には何社かに問い合わせ、「何をやってほしいか、どこまで頼みたいか」を話し、見積もりをお願いしましょう。

また、遺品整理士という資格は、遺品整理士認定協会が認定する資格で、この**遺品整理士のいる企業に依頼することをおすすめします。**これらの業者は遺品整理のプロであることはもちろんですが、廃棄物

処理業や解体業、古物買い取り業などの資格を有している場合もあり、いろいろなネットワークによる効率よい対処が期待できます。それぞれの得意分野を確認して、片づけの方針に合う業者を選びましょう。

内容と金額が適正か確認しましょう

各種整理業者に依頼した際の費用は、間取りや整理する部屋の広さなどで変わってきます。広さで相場を見るのもいいですが、料金は立地や処分するゴミの量でも変わってきます。この意味でも複数の業者に見積もりをお願いし、誠意をもって対応してくれる業者を選びましょう。

Hさん 50代女性のエピソード

「50代半ばの夫が事故で急に亡くなりました。しばらくは呆然と過ごしていましたが、数ヶ月経って20年近く空き家のままになっている夫の実家を思い出し、片づけることにしました。こんなことを言葉にするのは薄情だと思われるかもしれませんが、義父母の家には大した思い入れもありませんし、一軒家で荷物も多いことから遺品整理士さんに依頼することにしました。見積もりをしてもらうために、ひさしぶりに義父母宅に行きましたが、長いこと空き家だったにもかかわらず、建物の劣化はほとんどなく、家の中もきれいに片づけられていました。夫が守り続けた場所だとあらためて実感し、処分するのにためらいを感じるほどでした。しかし、このままにはできません。遺品整理には5つの業者さんに見積もりを依頼しました。さまざまな遺品整理士さんがいて、いかにも大きな荷物を運べそうな体格のいい方もいましたし、ビックリするほど低額のところや逆に高額なところもありました。できれば出費は抑えたいところでしたが、夫が守り続けた場所なので、第一印象がよく質問にも丁寧に応えてくれるところに依頼することに。その業者さんは電話対応のときから感じが良く、見積もりにもスーツ姿で来てくれて信頼できる感じがしました。その印象は当たっていて、とてもスムーズに片づけが進みました。遺品整理についてのトラブルはたくさんあるようなので、見積もりはできるだけ多くお願いして、心証のいい方にお願いするのがいいと思います。」

おわりに

生きていれば大切な身内との別れの時は必ず訪れます。ご自身の親や義父母を見送った後で「遺品整理がこんなに大変だなんて」「なぜ自分がしなくちゃいけないの？」という思いをしたことがあるかもしれません。しかし、そのような経験やわだかまりがあるならどうぞ気持ちを切り替えてください。

本書を手に取ったあなたに伝えたいのは、遺品整理は親が最後に子どもにかける「初めての迷惑」です。そして子供が親にしてあげられる「最後の親孝行」だということです。楽しかった思い出などを思い出しながら、片づけを進めることで、遺品整理という時間は、親子の最後の大切な時間となるのです。「気持ちの持ち方ひとつ」で、遺品整理も生前整理もかけがえのない時間となるでしょう。

それでもやはり、身内には最後まで迷惑をかけたくないと考えるのもわかります。生前整理や家の片づけも大変な作業ですが「上手に遺す」ことで身も心も軽くなるに違いありません。

［監　　修］

木村　榮治（きむら　えいじ）

北海道・小樽生まれ。北星学園大学社会福祉学部卒業。第三セクター社員を経て病院および民間企業などで勤務。福祉情報会社の経営と、リサイクル会社の役員をしていた折に、親の遺品整理に立ち会う。そのときの整理業者のずさんな対応に心を痛め、2011年に一般社団法人遺品整理士認定協会を設立。これまでに4万人以上の遺品整理士を輩出してきた。一般社団法人事件現場特殊清掃センター理事長など、8団体の代表を務めている。著書に「遺品整理士という仕事」（平凡社新書）他多数。

［編　　集］　浅井 精一・佐藤 和彦

［取 材・文］　しだ まゆみ（フリー）・小林 美弥（フリー）・
　　　　　　　魚住 有・相馬 彰太

［デザイン・制作］　玉川 智子・里見 遥・渡辺 里織・五十嵐 ひなの

［Illustrator］　松井 美樹

［制　　作］　株式会社 カルチャーランド

遺品整理士が教える　遺す技術と片付けの極意
家族の負担を減らす生前整理のすすめ

2022年5月30日　第1版・第1刷発行

著　者　木村　榮治（きむら　えいじ）
発行者　株式会社メイツユニバーサルコンテンツ
　　　　代表者　三渡 治
　　　　〒102-0093 東京都千代田区平河町一丁目1-8
印　刷　三松堂株式会社

◎『メイツ出版』は当社の商標です。

●本書の一部、あるいは全部を無断でコピーすることは、法律で認められた場合を除き、
　著作権の侵害となりますので禁止します。
●定価はカバーに表示してあります。
Ⓒ木村榮治,カルチャーランド,2016,2022. ISBN978-4-7804-2536-9　C2039　Printed in Japan.

ご意見・ご感想はホームページから承っております。
ウェブサイト　https://www.mates-publishing.co.jp/

編集長：折居かおる　企画担当：折居かおる

※本書は2016年発行の『遺品整理士が教える"遺す技術"豊かに生きるための"備えと片づけ"』を元に加筆修正・再編集をし、書名・装丁を変更して再発行したものです。